HEYNE
BÜCHER

Stichwort

Habsburger

Michael Weithmann

Originalausgabe

WILHELM HEYNE VERLAG
MÜNCHEN

HEYNE SACHBUCH
Nr. 19/4022

REDAKTION UND FACHLEKTORAT:
Annalena Staudte-Lauber

GRAFIKEN:
Michael Lörcher

KONZEPTION UND REALISATION:
Christine Proske
(Ariadne Buchproduktion)

3. Auflage

Printed in Germany 1996
Umschlaggestaltung: Kaselow-Design
Herstellung: H+G Lidl, München
Satz: Satz & Repro Grieb, München
Druck und Verarbeitung: Presse-Druck Augsburg

ISBN 3-453-06299-X

Inhalt

I. Deutsches Reich – Österreich – Habsburg

Das *Heilige Römische Reich Deutscher Nation* umfaßte im hohen Mittelalter (1100–1250) die Herzogtümer Sachsen, Schwaben, Franken, Baiern, Lothringen und Burgund, die Landgrafschaft Thüringen, die Markgrafschaften Brandenburg, Österreich, Steiermark und Kärnten sowie die Königreiche Böhmen und Italien. Herrscher über die deutschen Fürstentümer war der deutsche König, über das Gesamtreich der römisch-deutsche Kaiser. Beide Titel waren in Personalunion verbunden.

In der Reichsgeschichte war das 13. Jahrhundert eine Zeit des Umbruchs. Noch während der Regierung des letzten Hohenstaufenkaisers Friedrich II. (1212–1250) zerfiel die Reichseinheit. In zwei Statuten mußte der Kaiser den weltlichen und geistlichen Reichsfürsten entscheidende königliche Rechte (Regalien) abtreten. Die Fürsten erreichten Landeshoheit in ihren Territorien und wurden zunehmend unabhängig von der kaiserlichen Zentralgewalt. Damit war der Weg zu nahezu selbständigen (souveränen) Fürstentümern innerhalb des Reiches vorgegeben. Unterstützt wurde dieser Auflösungsprozeß durch das deutsche *Wahlkönigtum* (im Gegensatz zum französischen und englischen *Erbkönigtum*), bei dem die sieben Kur-(= Wahl)fürsten den König (und damit die Anwartschaft auf den Kaisertitel) wählten. Das Kurfürstenkollegium bestand aus drei geistlichen und vier weltlichen Würdenträgern, den Erzbischöfen von Köln, Mainz und Trier sowie dem Pfalzgrafen bei Rhein, dem Markgrafen von Brandenburg, dem Herzog von Sachsen und dem König von Böhmen. Sie unterstützten den Kandidaten, der sich zu den meisten Konzessionen an sie bereit fand. Das Bestreben der anderen Fürsten war das Erlangen der kurfürstlichen Sonderrechte (Privilegien).

Österreich blieb als die sogenannte *Ostmark* bis ins 10. Jahrhundert ein Teil des Herzogtums Baiern. 976 wurde es unter den Babenbergern Markgrafschaft und 1156 unter Kaiser Friedrich I. Barbarossa durch das *Privilegium minus* (Kleiner Freiheitsbrief) selbständiges Herzogtum. 1246 starben die Babenberger aus. König Ottokar II. von Böhmen erhob daraufhin Anspruch auf den freigewordenen österreichischen Herzogstitel.

Die Ursprünge der *Adels- und Herrscherfamilie (Dynastie) Habsburg* liegen im Aargau (Nordschweiz) und im Elsaß. Um 1020 war südlich von Basel als Herrschaftsmittelpunkt der Familie die »Habichtsburg« entstanden, deren Name zu »Habsburg« wurde. Die kleine Burganlage besteht noch heute. Ab dem 12. Jahrhundert nannte sich das Geschlecht nach diesem ersten Familiensitz »von Habsburg«. Damit beginnt ihre gesicherte Genealogie.

II. Die Gründung der habsburgischen Hausmacht

Im 13. Jahrhundert waren die Habsburger als Parteigänger der Hohenstaufenkaiser bereits das einflußreichste Grafengeschlecht im südwestdeutschen Raum.

1. Rudolf von Habsburg (1273–1291)

Um das *Interregnum,* die »schreckliche, herrscherlose Zeit«, die auf den Tod Friedrich II. 1250 folgte, zu beenden, wählten die Kurfürsten 1273 den Landgrafen Rudolf von Habsburg zum deutschen König. Er war der vermeintlich schwächste der Kandidaten. Rudolf setzte sich jedoch gegen seine Rivalen durch. Er besiegte seinen Hauptgegner, König Ottokar von Böhmen, in der Schlacht auf dem Marchfeld bei Wien 1278 und gewann dadurch die von den Fürsten während des Interregnums usurpierten Reichsgüter wieder zurück.

Österreich und Steiermark, die sich Ottokar angeeignet hatte, übergab Rudolf als erbliche Lehen an seine beiden Söhne. Damit hatten die Habsburger im Ostalpenraum Fuß gefaßt.

Die Vermehrung seiner *Hausmacht* wurde von Rudolf tatkräftig vorangetrieben, eine Politik, die auch in den folgenden Jahrhunderten für die Habsburger zentrale Bedeutung besaß.

Rudolf stellte – wie alle seine Nachfolger – die Hausmacht in den Dienst des Reiches, denn nur eine starke Hausmacht ermöglichte die Erhaltung der königlichen Autorität gegenüber den Landesfürsten.

Wie Rudolfs energisches Königtum von den Kur- und Landesfürsten, die auf Eigenständigkeit pochten, eingeschätzt wurde, zeigt die Wahl seines Nachfolgers 1291: Sie krönten Adolf von Nassau (1291–1298), über den

Hausmacht

Als Hausmacht oder Hausgut galt sowohl das erbliche Eigentum wie auch das vererbbare Lehen einer Familie (die *Erblande*). Im Gegensatz dazu stand das Reichsgut, das vom König als Lehen verliehen wurde und jederzeit eingezogen werden konnte. Nach dem Tod des Besitzers fiel es an den König zurück, der es weiterverleihen mußte. Im späten Mittelalter wurden aber auch diese Lehen de facto erblich. Der Unterschied zwischen den beiden Eigentumsformen verwischte sich immer mehr.

man – gerade weil er keine Hausmacht besaß – nach Belieben bestimmen konnte. Die Habsburger verfügten inzwischen jedoch über eine sehr starke Stellung, so daß 1298 der Sohn Rudolfs I., Albrecht I., den Thron wiedererlangte. Er setzte die entschlossene Haus- und Reichspolitik ungebrochen fort. Wegen Erbstreitigkeiten fiel er jedoch 1308 einem Mordanschlag seines Neffen Johann Parricida (= »Vater- bzw. Onkelmörder«) zum Opfer.

2. Dynastische Rivalen: Luxemburger und Wittelsbacher (1314–1437)

Das Machtvakuum benutzten die Kurfürsten sofort zu einem Dynastiewechsel. Die erbliche habsburgische Thronfolge, die sich schon abgezeichnet hatte, wurde für mehr als 100 Jahre unterbrochen. Das Geschlecht der *Luxemburger* und mit Kaiser Ludwig dem Baiern (1314–1347) für eine Generation die *Wittelsbacher* kamen nun zum Zuge.

Der Sieg Ludwigs des Baiern über Friedrich den Schönen von Habsburg bei Mühldorf (Oberbayern) im Jahr 1322 (die »letzte Ritterschlacht«) bedeutete den Aus-

Die Herrschertafel der Habsburger

Rudolf I. (dt. Kg. 1273- 1291)
Albrecht I. (H. seit 1282, dt. Kg. 1298- 1308)
Friedrich der Schöne (dt. Kg. 1308- 1330)
Albrecht II. der Weise (H. 1330- 1358)
Rudolf IV. der Stifter (H. 1358- 1365)
Albrecht III. und Leopold III. (gemeinsame H. 1365- 1379)

Teilung von 1379:

Albertinische (Österreich.) Linie

Albrecht III. (H. 1379- 1395)
Albrecht IV. (H. 1395- 1404)
Albrecht V. (H. seit 1404, als dt. Kg. Albrecht II. 1438- 1439)
Ladislaus Postumus (Kg. v. Böhmen und Ungarn 1439-1457)

Leopoldinische (Steir.) Linie

Leopold III. (H. 1379- 1386)
Wilhelm (H. 1386- 1406)
Leopold IV. (H. 1386- 1411)

Teilungen von 1406 und 1411:

Steirische Linie

Ernst der Eiserne (H. 1406- 1424)
Friedrich V. (H. seit 1424, als dt. Kg. und K. Friedrich III. seit 1440)

Tiroler Linie

Friedrich IV. mit der leeren Tasche (Gf. 1406- 1439)
Sigismund (Gf. 1439- 1490)

1490 Vereinigung der habsburgischen Lande unter

Friedrich III. (dt. Kg. und K. 1440- 1493)
Maximilian I. (K. 1493- 1519)
Karl V. (K. 1519- 1556)

Österreichische LInie

Ferdinand I. (H. seit 1521/22, K. 1556- 1564)

Spanische Linie

Philipp II. (Kg. 1556- 1598)
Philipp III. (Kg. 1598- 1621)
Philipp IV. (Kg. 1621- 1665)
Karl II. (Kg. 1665- 1700)

Gf. = Graf K. = Kaiser Kg. = König
H. = Herzog dt. Kg. = deutscher König

schluß der Habsburger vom Königsthron. Die Luxemburger stellten mit Karl IV. (1347–1378) und Sigismund I. (1410–1437) bedeutende Herrscher. Unter ihnen wurde das Königreich Böhmen mit der Stadt Prag zum Zentrum des Reiches.

In der *Goldenen Bulle* von 1356 legten sie die deutsche Königswahl durch die sieben Kurfürsten als Reichsgrundgesetz endgültig fest und bestätigten darin auch den *Kurverein von Rhense* von 1338, der bestimmt hatte, daß für die Königs- und Kaiserwahl eine päpstliche Mitwirkung nicht mehr geboten sei.

Die Habsburger konzentrierten sich im »Luxemburgischen Jahrhundert« auf ihre Hausmachtpolitik. Die ins Auge gefaßte Vereinigung ihres West- und Ostalpenbesitzes scheiterte an der Schweizerischen Eidgenossenschaft, die die Reichshoheit abgeschüttelt hatte, sowie an den Wittelsbachern in Baiern.

Der eigentliche Schwerpunkt der habsburgischen Hausmacht verlagerte sich daraufhin auf den Ostalpenraum mit den Zentren Wien, Graz und Linz. Bedeutende Erwerbungen waren 1335 *Kärnten* und *Krain* (Slowenien), insbesondere aber die Grafschaft *Tirol* mit Innsbruck, die 1363 gegen den Widerstand der Wittelsbacher an die Habsburger kam. 1376 kam Vorarlberg durch Kauf in ihren Besitz. 1382 stellte sich auch *Triest* mit seinem Adriahafen unter habsburgischen Schutz.

Diese Gebiete wurden zusammen mit den Erblanden Österreich und Steiermark als *Österreichische Länder* bezeichnet.

Seit die *Stammlande* in der Nordschweiz an die Eidgenossenschaft gefallen waren, nahm die Bedeutung der Besitzungen im Westen – im Elsaß und im Breisgau – deutlich ab. Im 15. Jahrhundert kam für diesen unzusammenhängenden Streubesitz der Begriff *Vorderösterreich* auf.

Als Antwort auf die Goldene Bulle, in der die Österrei-

Privilegium maius 1358

Durch das Privilegium minus von 1156 war Österreich zum Herzogtum erhoben worden. Das Privilegium maius (erweitertes Sonderrecht) sollte die Rangerhöhung Österreichs zum Erzherzogtum und damit die Gleichstellung mit den »Erzämtern« der Kurfürsten begründen. Dazu erfand man Urkunden, in denen die Habsburger bis auf Kaiser Augustus zurückgeführt wurden. Derartige Fälschungen, um »altes Recht« zu beglaubigen, waren im Mittelalter nicht ungewöhnlich.
Der Titel *Erzherzog* sollte etwa »Erster« oder »Oberster« Herzog bedeuten. Er wurde später auf alle Prinzen und Prinzessinnen des Hauses Habsburg ausgedehnt, für das sich auch die Bezeichnung *Erzhaus* einbürgerte.

chischen Länder nicht in die Reihe der Kurfürstentümer aufgenommen worden waren, erhob sich Herzog Rudolf IV. von Habsburg (Rudolf der Stifter) im Jahre 1359 zum »Erzherzog« und Österreich zum *Erzherzogtum.* Damit sollte eine äußere Gleichstellung mit den Kurfürsten erreicht werden. Rudolf bezog sich dabei auf das *Privilegium maius.*

III. Das Haus Österreich

Nach dem Aussterben der Luxemburger kamen die Habsburger mit Albrecht II. im Jahr 1438 wieder auf den Königsthron. Sie stellten von da an bis zum Ende des Alten Reiches 1806 alle deutschen Herrscher.

Die Teilung des Hausgutes und der Erblande in verschiedene Hauslinien im Zeitraum von 1379 bis zur Mitte des 15. Jahrhunderts schwächte die Hausmacht und damit auch die habsburgische Königsgewalt entscheidend. Von den vier Linien der Habsburger, der Albertinischen, der Leopoldinischen, der Tiroler und der Steirischen Linie, führte sich nur die zuletzt genannte fort.

Aus ihr ging Friedrich III. (1440–1493) hervor, der letzte deutsche König, der sich noch vom Papst in Rom (1452) zum Kaiser krönen ließ. Friedrichs Hausmacht war von Ständeunruhen und innerfamiliären Spannungen bedroht. Da er aber alle seine Gegner und Mitkonkurrenten um die Erblande überlebte, gelang es ihm, das Hausgut wieder zusammenzufassen und durch sprichwörtliche Sparsamkeit zu mehren. Unter Friedrich III. wurde die dynastische Familien- und *Heiratspolitik* eingeleitet, welche das Haus Habsburg schließlich zur europäischen Großmacht werden ließ.

Bei seinem Tod 1493 hinterließ Friedrich III. seinem einzigen Erben Maximilian das ungeteilte Hausgut, das wohlbestellte »Haus Österreich«. Die *Casa de Austria* oder *Domus Austriae* trat in der Folgezeit als geschlossene Macht auf. Von seinem Vorgänger übernahm Maximilian den stolzen, für die nächsten vier Jahrhunderte geltenden Wahlspruch A E I O U.

Unter Kaiser Maximilian I. (1493–1519) kam die erste von vier klug und weitsichtig geplanten politischen Ehen zustande, die *Burgundische Heirat.* Der politische Hintergrund dieser dynastischen Verbindung war der gemein-

Heiratspolitik

Sowohl im volksrechtlich-germanischen wie auch im römischen Erbrecht wurden Fragen zu Besitz, Erblehen, Privilegien, Rechten und Anwartschaften (Titel), die mit einer Rechtsperson und mit ihrem Territorium verbunden waren, behandelt. Die Bestimmungen galten für die männliche, als Sonderrecht aber auch für die weibliche Erbfolge. Dynastische Ehen – und damit Verbindung von Hausgut und dessen Vererbung an gemeinsame Nachkommen – waren daher ein durchaus übliches Mittel der Politik. Man schloß solche Ehen nicht selten schon zwischen Kindern, um Konkurrenten möglichst früh auszuschließen. Die Heirat zwischen Unmündigen wurde »per procurationem« vollzogen, d. h., Bevollmächtigte (Prokuratoren) gingen an ihrer Statt die Ehe ein, bis die Mündigkeit der »Eheleute« mit dem 13. oder 15. Lebensjahr erreicht war. Eine Verbindung per procurationem hatte volle ehe-, familien- und erbrechtliche Gültigkeit. Sie wurde jedoch nur dem Adel zugestanden. Für die habsburgische Macht war die dynastische Heiratspolitik so kennzeichnend, daß Ende des 15. Jahrhunderts vom ungarischen König Matthias Corvinus die Verse verfaßt wurden:

»Bella gerant alii, Tu felix Austria nube –
nam quae Mars aliis, dat tibi regna Venus.«

»Kriege mögen die anderen führen, Du, glückliches Österreich, heirate. Denn die Reiche, die (der Kriegsgott) Mars den anderen gibt, werden Dir durch (die Liebesgöttin) Venus zuteil«.

Seit dem 16. Jahrhundert waren die Habsburger durch ihre Verwandtschaft mit allen Adels- und Herrschergeschlechtern Europas eine übernationale gesamteuropäische Dynastie geworden.

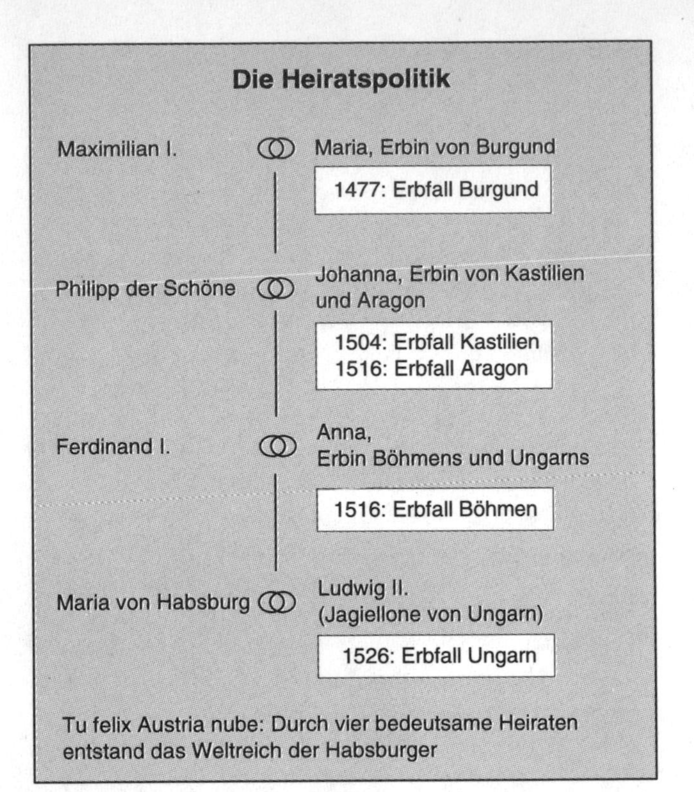

AEIOU

Der Wahlspruch des Hauses Österreich wurde schon zu Zeiten Friedrichs III. in doppelter Weise aufgelöst: »AUSTRIA ERIT IN ORBE ULTIMA«. Österreich wird auf dem Erdkreis das Letzte (= Höchste) sein«. »AUSTRIAE EST IMPERARE OMNE UNIVERSUM«. Es kommt Österreich zu, die ganze Welt zu beherrschen«.
Später kam noch eine deutsche Deutung auf: »ALLES ERDREICH IST OESTERREICH UNTERTAN«.

same Gegensatz sowohl des Herzogtums Burgund wie der Habsburger gegen die Schweizerische Eidgenossenschaft und das Königreich Frankreich. Karl der Kühne von Burgund war 1477 gegen die Schweizer gefallen. Seine Tochter Maria wurde daraufhin mit Maximilian vermählt. Nach den dynastischen Regeln fiel das Herzogtum Burgund an die Habsburger. Burgund umfaßte damals die heutige Bourgogne (Hochburgund), Lothringen, aber auch die reichen Niederlande mit Flandern und Brabant. Das Haus Habsburg gewann mit den burgundischen Ländern das wirtschaftlich und kulturell am höchsten stehende Gebiet des frühneuzeitlichen Europa.

Maximilian, der letzte Ritter… (1493–1513)

Die volkstümliche Bezeichnung als »letzter Ritter« rührt von Maximilians persönlicher Teilnahme an Ritterturnieren her, die eigentlich im 16. Jahrhundert nicht mehr zeitgemäß waren. Davon abgesehen gilt er als ein typischer Renaissance-Fürst, der Künstler (Albrecht Dürer) und Gelehrte um sich scharte und sich auch selbst als Dichter betätigte (»Innsbruck, ich muß Dich lassen…«). In seine Regierungszeit fällt die Verkündung eines Allgemeinen Reichsfriedens, die Einsetzung eines Reichskammergerichts und die Erhebung einer allgemeinen Steuer (»Gemeiner Pfennig«). Damit wurden die Voraussetzungen für die Entwicklung des Reichs zu einem einheitlichen Rechtsraum geschaffen.

Aber auch Frankreich beanspruchte Burgund. Die Rivalität der Habsburger (und damit des Reichs) zu Frankreich wurde in der Folgezeit zu einem bestimmenden Faktor in der europäischen Machtpolitik. Seit der Zeit Maximilians I. war der römisch-deutsche Kaisertitel end-

gültig unabhängig von der Krönung durch den Papst, und von da an fester Bestandteil des deutschen Königstitels.

Durch die *Spanische Heirat* (1496) von Maximilians Sohn Philipp dem Schönen mit der spanischen Erbtochter Johanna der Schwermütigen sicherte sich das Haus Habsburg den Königstitel über das vereinigte Spanien und

seine riesigen Überseebesitzungen in Mittel- und Südamerika. Der politische Hintergrund war auch hier der beiden gemeinsame, spanisch-habsburgische Gegensatz zu Frankreich.

Durch die beiden *Jagiellonischen Heiraten* 1516 und 1521 erhielten die Habsburger die Königreiche Böhmen

Johanna die Schwermütige (1479–1555)

(Juana la Loca: »die Wahnsinnige« ist nicht korrekt übersetzt.)
Durch die Heirat der »Katholischen Könige« Ferdinand von Aragon und Isabella von Kastilien 1469 war Spanien zu einem Königreich vereinigt worden. Nach dem Tode sämtlicher älterer Geschwister fiel das spanische Erbe unerwartet Johanna zu, die seit 1496 mit dem Habsburger Philipp dem Schönen vermählt war. Nach Philipps Tod 1506 ging das gesamte spanische Erbe an ihren Sohn Karl (Karl V.). Das österreichische Erbe erhielt ihr jüngerer Sohn Ferdinand. Johanna die Schwermütige ist somit die Stammutter der deutschen wie der spanischen Habsburger.
Der ihr unterstellte Wahnsinn bestand hauptsächlich darin, sich in der damaligen Männerwelt als Frau behaupten zu wollen.

und Ungarn. Die *Jagiellonen* waren eine polnisch-litauische Dynastie, die im Spätmittelalter die Könige in Polen, Ungarn und Böhmen stellte. Wegen der Türken verband sich der Jagiellone Ludwig II., König von Böhmen und Ungarn, mit der Enkelin Maximilians, Maria. Da andererseits Ludwigs Schwester Anna Maximilians Enkel Ferdinand geheiratet hatte, fielen beide Kronen nach dem Tod des böhmisch-ungarischen Königs im Türkenkampf (1526) an das Haus Österreich.

Mit der böhmischen *Wenzelskrone* war ebenfalls die Kurwürde verbunden. Böhmen umfaßte damals auch das Herzogtum Schlesien. Durch die Übernahme der ungarischen *Stephanskrone* mußten die Habsburger in Südosteuropa die massiven Angriffe des expansiven türkischen Osmanenreiches abwehren. 1529 wurde die Stadt Wien das erste Mal von den Türken belagert.

IV. Das habsburgische Weltreich

Dem Sohn Philipps des Schönen und Johannas der Schwermütigen, Karl V., fiel das Erbe der vier habsburgischen Heiraten zu. Er konnte über »ein Reich, in dem die Sonne nicht unterging«, gebieten. Die habsburgischen Besitzungen erstreckten sich über die ganze damals bekannte Welt. Habsburg, das Haus Österreich, hatte damit Weltmachtstellung erreicht.

1. Die Universalmonarchie Karls V. (1519–1556)

Karl V., römisch-deutscher Kaiser, war gleichzeitig König von Spanien, Neapel und Neu-Spanien (Amerika). Frankreich sah sich von der habsburgischen Macht umklammert und erzwang die kriegerische Auseinandersetzung. In drei Waffengängen konnte sich Karl V. mit Finanzhilfe der schwerreichen Handelshäuser der Fugger und Welser gegen Franz I. von Frankreich behaupten. Dies wurde auch mit weitreichenden Zugeständnissen an die Kurfürsten und Landesherren erkauft, was deren Streben nach Unabhängigkeit von der kaiserlichen Zentralgewalt weiter stärkte.

Im Südosten gelang es den spanischen Habsburgern im Jahr 1571, den Vormarsch der Osmanen in der Seeschlacht vor Lepanto (Griechenland) zu stoppen. Der siegreiche Admiral war Juan d'Austria, ein unehelicher Sohn Karls V. mit einer Regensburger Bürgerstochter.

Karl V. hielt sich hauptsächlich in Spanien auf. Seine bevorzugte Residenz war Sevilla. Die österreichischen, böhmischen und ungarischen Besitzungen der Habsburger wurden von seinem jüngeren Bruder Ferdinand (1531–1564) verwaltet, dem er 1531 die deutsche Königskrone übertragen hatte.

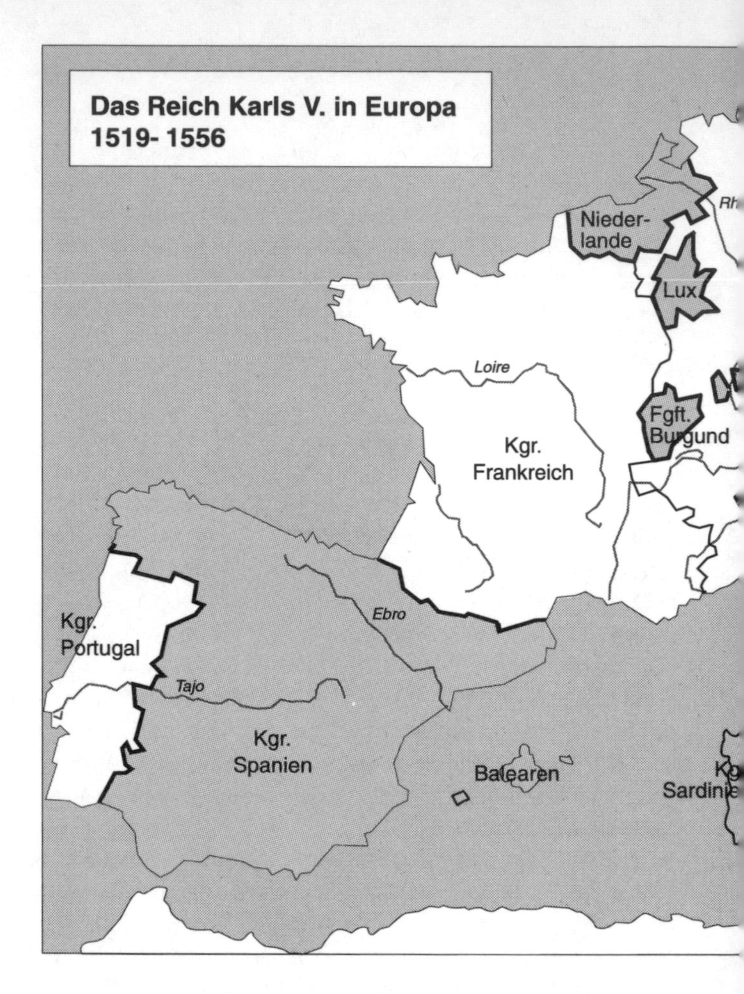

In die Regierungszeit Karls V. fallen auch die umwälzenden Ereignisse der *Reformation,* die von Martin Luther's 95 Thesen ausgelöst wurden. Auf dem Reichstag von Worms 1521 weigerte er sich vor Karl V., sie zu widerrufen.

Im städtischen Bürgertum und im 1531 gegründeten

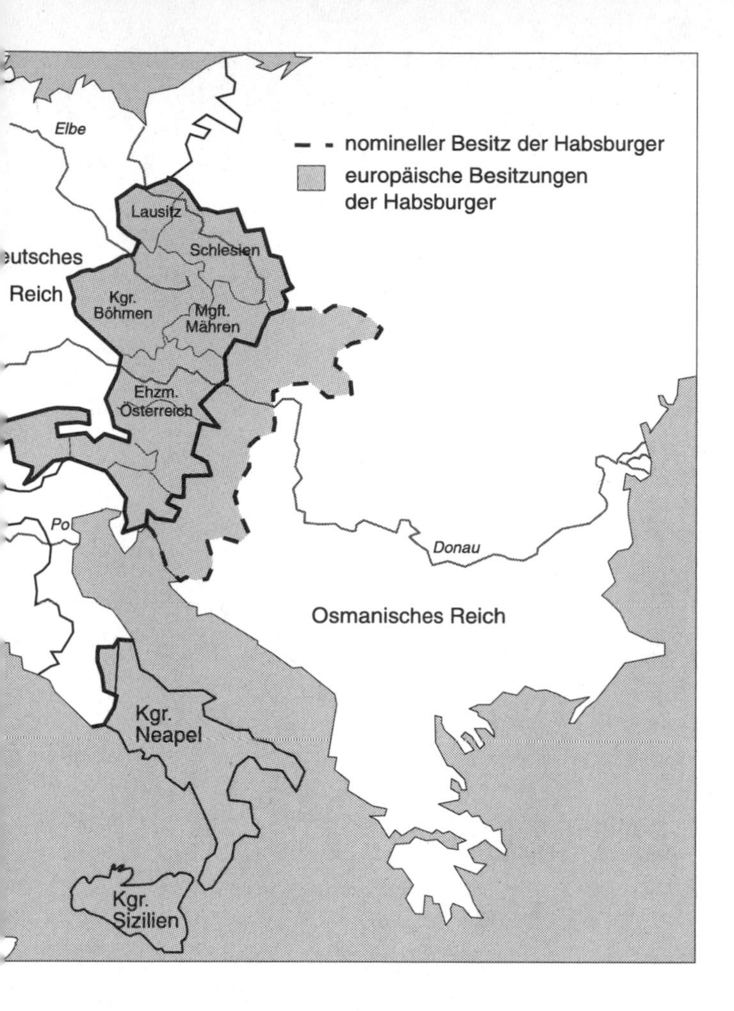

»Schmalkaldischen Bund« der protestantischen Fürsten fand Luther massive politische Unterstützung gegen die kaiserliche Religionspolitik. Der Krieg der Konfessionen endete vorläufig im *Augsburger Religionsfrieden* von 1555, dessen wichtigste Bestimmung war, daß die Untertanen dem Bekenntnis des Landesherren zu folgen hatten

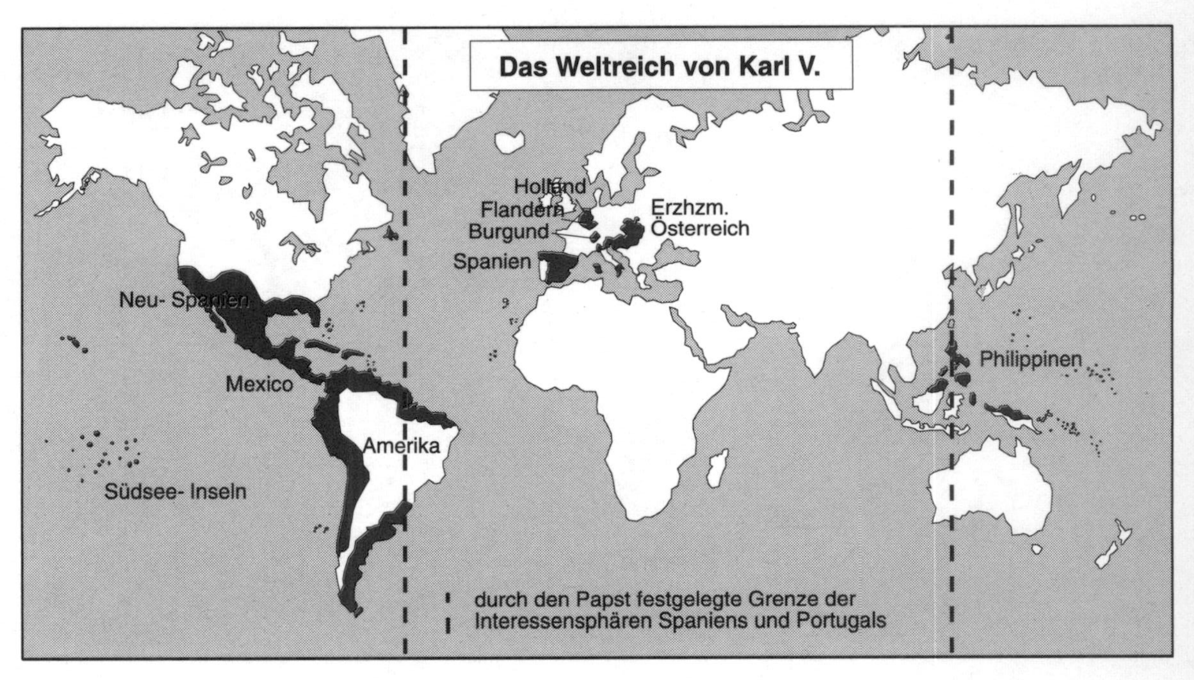
Das Weltreich von Karl V.
Holland
Flandern
Burgund
Spanien
Erzhzm.
Österreich
Philippinen
Neu- Spanien
Mexico
Amerika
Südsee- Inseln
durch den Papst festgelegte Grenze der
Interessensphären Spaniens und Portugals

(»cuius regio, eius religio« = wessen Land, dessen Glaube). Die Glaubensspaltung war unumkehrbar geworden. Das Konzept einer weltumspannenden katholischen Universalmonarchie, wie es Karl V. vertreten hatte, mußte aufgegeben werden.

1556 dankte der Kaiser ab und zog sich in ein spanisches Kloster zurück, wo er 1558 starb. Es war ihm nicht gelungen, seinen Sohn Philipp als Universalerben gegen seinen Bruder Ferdinand und die Reichsfürsten in Deutschland durchzusetzen.

2. Die Teilung der Dynastie Habsburg

Nach der Abdankung Karls V. teilte sich daher das Haus Habsburg in eine *Spanische Linie* mit Philipp II. und eine *Österreichische Linie* mit Ferdinand I.. Philipp erhielt Spanien, die Niederlande, Neapel mit Sizilien und die überseeischen Kolonien. Ferdinand behielt für sich und seine Nachkommen die österreichischen Erblande, Böhmen und Ungarn, das allerdings zum großen Teil türkisch besetzt war, sowie die Anwartschaft auf die römisch-deutsche Kaiserkrone.

Beide Linien aber bezeichneten sich weiter als »Haus Österreich« und arbeiteten in der großen Politik gegen Frankreich und das Osmanische Reich eng zusammen.

V. Die spanischen Habsburger

Der *Protestantismus* breitete sich aus. Auch die Spanischen Niederlande schlossen sich der neuen Lehre an. Spaniens katholische Vormachtstellung blieb jedoch noch für ein knappes Jahrhundert bestehen. Man bezeichnet diese Zeit als *Siglo de Oro* (»Goldenes Jahrhundert«).

Philipp II. (1556–1598) mußte allerdings die niederländischen Provinzen aufgeben, die sich seit 1581 als selbständige »Generalstaaten« konstituierten.

Der Kampf mit England um die Herrschaft der Meere wurde zum Hauptfaktor der spanischen Außenpolitik. Mit dem Untergang seiner Kriegsflotte (*Armada*) erlitt Philipp 1588 jedoch eine schwere Niederlage gegen das Inselreich. Zur Hauptquelle der spanischen Macht wurde *Neu-Spanien,* das süd- und mittelamerikanische Kolonialreich mit seinem Goldreichtum.

Unter den Nachfolgern Philipps II. zeichnete sich der Niedergang der spanischen Macht im Gegensatz zu den

Siglo de Oro (1556–1665)

Das Zeitalter der drei habsburgischen »Felipes« (Philipp II., III., IV.) wird als das *Goldene Jahrhundert* Spaniens bezeichnet. Damals erlebten Kunst und Kultur eine Blütezeit. Cervantes schrieb seinen berühmten Roman »Don Quichotte«, Maler wie Velazquez oder El Greco schufen ihre weltberühmten Gemälde. Der spanische Barock fand Ausdruck im Schloß und Kloster El Escorial, und Madrid wurde schon unter Philipp II. zur glanzvollen Residenzstadt. Andererseits erlebte aber auch die spanische Inquisition mit der Verfolgung von Ketzern und Andersgläubigen einen traurigen Höhepunkt.

Don Carlos (1545–1568)

Carlos war als ältester Sohn Philipps Infant, d. h. Kronprinz. Wegen Geisteskrankheit konnte er jedoch die Nachfolge nicht antreten.
In seinem berühmten Drama *Don Carlos, Infant von Spanien* (1787) stellte Friedrich Schiller die Geschichte des spanischen Thronfolgers jedoch völlig unhistorisch dar.

Rivalen England und Niederlande deutlich ab. Philipps Sohn *Carlos* schied wegen Regierungsunfähigkeit von der Thronfolge aus.

Mit Karl II. (1665–1700) starben die spanischen Habsburger aus. Die spanische Erbfolge wurde dann zum Spielball der neuen europäischen Mächte (Spanischer Erbfolgekrieg 1701–1714).

Bei den deutschen (österreichischen) Habsburgern blieb der Einfluß spanischer Kultur, Katholizität und Etikette bis ins 19. Jahrhundert bestehen. Bei Hofe galt das steife *Spanische Hofzeremoniell.*

VI. Die Habsburger im Deutschen Reich

Im Reich blieb das Verhältnis der Konfessionen zueinander ungeklärt. Ferdinands Sohn Maximilian II. (1564–1576) zeigte sich den Protestanten gegenüber allerdings kompromißbereit.

In der Verwaltung der habsburgischen Erblande teilte er sich die Herrschaft mit seinen beiden Brüdern. Dadurch entstanden neben der Österreichischen wieder eine Tiroler und eine Steirische Linie. Erneut setzte sich jedoch nur die Steirische Linie durch.

1. Die Herausbildung des Behördenstaats

Im 16. Jahrhundert kam für die Steiermark, Kärnten und Krain der zusammenfassende Gebietsbegriff *Innerösterreich* mit dem Zentrum Graz auf. Zu selbständigen Verwaltungseinheiten wurden auch *Tirol* mit Innsbruck, *Österreich ob der Enns* (Oberösterreich mit Linz) und *Österreich unter der Enns* (Niederösterreich mit Wien). Wien stieg gleichzeitig zur Residenzstadt der gesamthabsburgischen Lande auf. Es war Kaiserstadt und somit Zentrum des Reiches. Im 16. Jahrhundert bildete sich der österreichische *Ordnungs-Staat* heraus. Eine geschulte Beamtenschaft garantierte effektive Staatsverwaltung und Steuererhebung. Die Behörden wurden in klare Ressorts mit genau abgestuften Titeln gegliedert.

2. Der Bruderzwist im Hause Habsburg (1606)

Unter Rudolf II. (1576–1612) kam es zu schweren Zerwürfnissen innerhalb der Linien des Hauses Habsburg. Sein Hang zu Astrologie und Goldmacherkunst, der Rückzug nach Prag und die Weigerung, sich zu verheira-

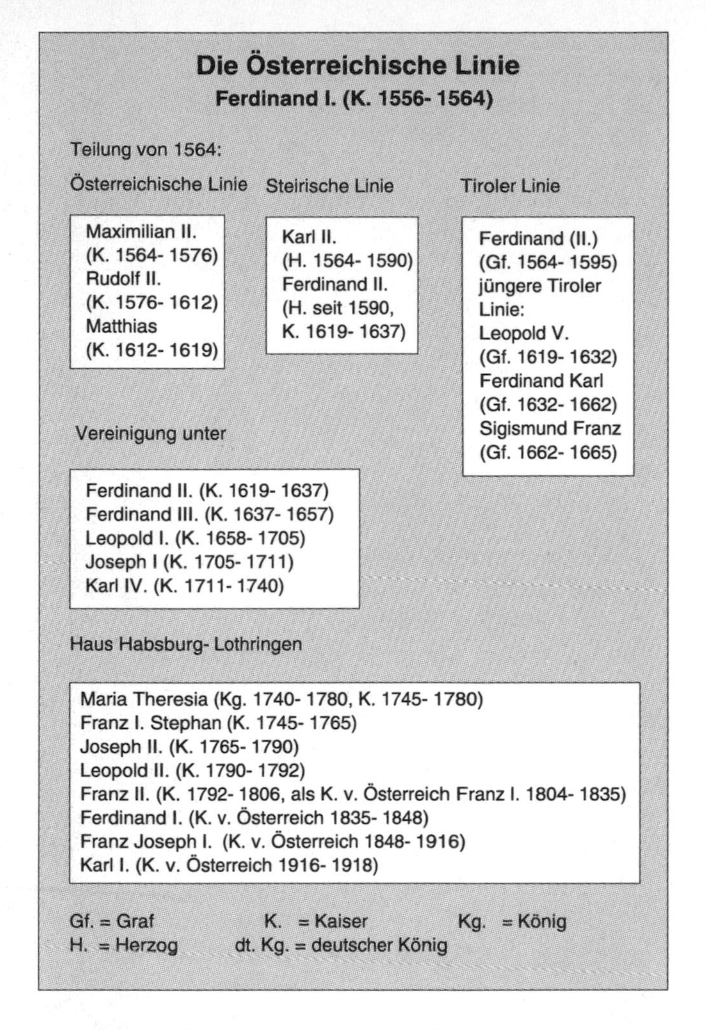

ten, führten 1606 zu seiner offiziellen Absetzung durch seinen Bruder Matthias. Matthias (1612–1619) konnte dies allerdings nur mit Hilfe des böhmischen Adels erreichen, dem er im *Majestätsbrief* von 1609 Zugeständnisse und Religionsfreiheit zusichern mußte. Österreichs bedeutendster Dramatiker, Franz Grillparzer (1791–1872), schrieb eine Tragödie, die diesen Bruderzwist thematisiert. Er orientierte sich dabei an den tatsächlichen historischen Begebenheiten.

Unter Rudolfs und Matthias' Herrschaft versuchte auch der großenteils protestantische ungarische Adel seine Privilegien zu bewahren. Die ungarische Adelsopposition gegen den »Wiener Zentralismus« wurde zu einer Konstante innerhalb der Geschichte des Habsburgerreiches. Ungarn, das *Stefansreich,* zu dem staatsrechtlich auch Kroatien, Siebenbürgen und die Slowakei gehörten, war zwar habsburgisch, jedoch nicht (wie Böhmen) ein Teil des Römisch-Deutschen Reiches.

3. Die Vormacht der Gegenreformation

Die habsburgische *Gegenreformation* nahm noch unter Matthias' Herrschaft militante Formen an. Innerösterreich war besonders betroffen.

Der konsequent für die Gegenreformation eintretende Ferdinand II. (1619–1637) stellte den Majestätsbrief und damit die Religionsfreiheit in Böhmen in Frage und wurde daher vom böhmischen Adel nicht als König anerkannt. Im Verlaufe antihabsburgischer Unruhen erfolgte 1618 der berühmte *Prager Fenstersturz* zweier habsburgisch-kaiserlicher Räte. Dies war der unmittelbare Anlaß für den *Dreißigjährigen Krieg.*

4. Der Dreißigjährige Krieg (1618–1648)

Mit Hilfe der katholischen Liga wurde Böhmen 1620 in der Schlacht am Weißen Berg bei Prag erobert und gewaltsam der kaiserlich-habsburgischen Herrschaft unterstellt. Der einheimische böhmische Adel wurde hingerichtet, seine Güter fielen an habsburgtreue, katholische und zumeist deutsche Adelsgeschlechter (z. B. Wallen-

Gegenreformation

Die Gegenreformation, die katholische Reform- und Gegenbewegung gegen den Protestantismus, wurde in erster Linie vom Jesuitenorden getragen, der 1534 von dem Spanier Ignatius de Loyola gegründet worden war. Auf die katholischen Höfe im Bereich der Habsburger übte er bald einen großen Einfluß aus. Nach dem Beispiel Spaniens und des Herzogtums Baiern setzte sich bei den deutschen Habsburgern auch bald die kompromißlose Linie der Rekatholisierung durch. Widerstand dagegen regte sich vor allem in Böhmen und Ungarn, deren Adel bei protestantischen Mächten Rückhalt fand. 1608 bildete sich als Militärbündnis der protestantischen Reichsstände die *Union*, 1609 schlossen sich die Katholiken zur *Liga* zusammen. An der Spitze der Liga, die von Spanien und den Habsburgern offen unterstützt wurde, stand Baiern.

stein, Schwarzenberg). Die alte Verfassung des Königreiches Böhmen galt von nun an nicht mehr, der Majestätsbrief wurde anulliert. Böhmen war habsburgisches Erbland geworden.

Durch den Eintritt Spaniens, Schwedens und Frankreichs zog sich der Krieg in die Länge. Der anfänglich konfessionelle Charakter des Kampfes wurde dabei vom rein machtpolitischen Gegensatz der Herrscherhäuser *Bourbon* (Frankreich) und *Habsburg* völlig in den Hintergrund gedrängt.

Der *Westfälische Friede* von Münster und Osnabrück (1648), den Ferdinand III. (1637–1657) mit unterzeichnete, bestätigte den Augsburger Religionsfrieden von 1555. Die Habsburger mußten ihre elsässischen Besitzungen an Frankreich abtreten. Ihre Macht blieb aber anson-

Bourbonen und Habsburger

Die europäische Geschichte des 16.–18. Jahrhunderts wird vom österreichisch-französischen Machtkampf geprägt, der im dynastischen Gegensatz der Hochadelshäuser Habsburg und Bourbon zum Ausdruck kommt.

Die Dynastie der Bourbonen geht auf den französischen König Ludwig den Heiligen (1226–1270) zurück. Nach dem Aussterben des Königshauses der Valois, das von 1328–1589 regiert hatte, bestiegen die Bourbonen mit Heinrich IV. (1589–1610) den französischen Königsthron.

Unter dem Sonnenkönig Ludwig XIV. (1643–1715) wurde Frankreich zur führenden absolutistischen Macht in Europa.

Erst kurz vor dem Ausbruch der Französischen Revolution kam es zu einer dynastischen Aussöhnung der Häuser Habsburg und Bourbon. Die Heirat Ludwigs XVI. mit Maria Theresias Tochter Marie Antoinette 1770 sollte eine zuverlässige Grundlage für zukünftige freundschaftliche und friedliche Beziehungen schaffen.

In Madrid bestieg mit dem Enkel des Sonnenkönigs, Philipp V., ab 1713 die *Spanische Linie der Bourbonen* den Thron; sie stellte mit Unterbrechungen bis 1931 alle spanischen Könige. Eine sizilische Seitenlinie regierte in Neapel von 1731 bis 1860. Die Bourbonen, die ab 1738 das Herzogtum Parma innehatten, wurden 1859 im Zuge des italienischen Einigungskrieges entthront.

Eine Tochter des letzten bourbonischen Herzogs von Parma war Zita, die Gemahlin des letzten Kaisers von Österreich-Ungarn, Karl I., die Mutter Otto von Habsburgs.

sten im wesentlichen unerschüttert. Auf französisches Betreiben mußten die deutschen Habsburger jedoch auf eine außenpolitische Zusammenarbeit mit der Spanischen Linie verzichten. Dies erwies sich für Wien aber eher als Vorteil, da es somit nicht in die folgenden spanisch-französischen Kriege verwickelt wurde.

Weitaus gravierender jedoch war die nun bestätigte volle *Libertät* (Freiheit) und *Souveränität* (Unabhängigkeit) der deutschen Landesfürsten. Die kaiserliche und damit habsburgische Zentralgewalt im Reich sank zur Zeremonie herab. Die einzelnen Territorialherrschaften gewannen immer mehr an Bedeutung. Das Zugeständnis selbständiger Wirtschafts- und Außenpolitik – sie konnten Verträge mit fremden Mächten schließen – leitete den Prozeß der Staatswerdung ein. Daneben bestand der Reichsverband aber weiterhin.

Baiern unter den *Wittelsbachern* wurde Kurfürstentum und stieg damit zum katholischen Konkurrenten Habsburgs auf. Als protestantische Gegenmacht formierte sich das Kurfürstentum Brandenburg unter den *Hohenzollern* (ab 1701 Königreich Preußen).

Während das Römisch-Deutsche Reich sich dezentralisierte, war in England und Frankreich mit einer straffen Königsgewalt die gegenteilige Entwicklung zu beobachten.

VII. Der Ausbau des Habsburgerstaats zur Donaumonarchie

Der Westfälische Friede bedeutete für die Habsburger einerseits das Ende der Vorherrschaft des Kaisertums innerhalb des Deutschen Reiches. Andererseits aber bot er ihnen durch die Erweiterung der landesherrlichen Rechte in ihren Erblanden die Möglichkeit, einen starken, von Wien aus zentralistisch regierten *absolutistischen Staat* aufzubauen.

1. Die Türkenkriege (1683–1718)

Mit der Thronfolge in Ungarn 1526 hatten die Habsburger die schwere Aufgabe der Türkenabwehr im Südosten übernommen. Islamische Heere drangen wiederholt bis Innerösterreich vor.

Der Großteil Ungarns war 1540 in eine osmanische Provinz verwandelt worden. Der ungarische Königssitz wurde daraufhin von Buda nach Preßburg verlegt. In

Absolutismus

Gegen die Sonderrechte des Adels und des Klerus setzten die Habsburger in ihren Erblanden nach dem Vorbild des Sonnenkönigs Ludwig XIV. von Frankreich die absolute Monarchie durch. Der absolute Staat vereinigte alle Staatsgewalt zentral in der Person des Monarchen. Der König war »Lege absolutus«, d. h. vom Recht abgehoben. Er sollte aber dem *Naturrecht* verpflichtet sein. Die Habsburger betonten dazu noch besonders das christliche *Gottesgnadentum* – die Verpflichtung vor Gott. Der Absolutismus setzte sich damit von Despotie oder Willkür ab.

Die habsburgisch-österreichischen Türkenkriege

Unter Sultan Suleiman dem Prächtigen (1520–1566) erreichte das islamische Osmanische Reich seinen Höhepunkt. Die Türken kontrollierten in Europa den Balkan, Ungarn und den Karpatenraum. Ein osmanisch-französischer Vertrag von 1536 sollte das Habsburgerreich von Ost und West umschließen. Nach ständigem Kleinkrieg in Ungarn kam es 1606 und 1664 zu längeren Waffenstillständen, in denen sich Kaiser und Sultan als gleichberechtigt anerkannten. Ein antihabsburgischer Aufstand ungarischer Adliger, die sich »Kuruzzen« (Kreuzer) nannten und die Türken zu Hilfe riefen (»Kruzitürken!« = Kuruzzen und Türken), führte zur Belagerung Wiens 1683. Im Gegenzug eroberten die Habsburger Buda 1686, der bairische Kurfürst Max Emanuel besetzte Belgrad (1688–1690), und Prinz Eugen siegte 1697 an der Zenta. 1699 übergaben die Osmanen im Frieden von Karlowitz Ungarn, Kroatien, Slawonien und Siebenbürgen an die Habsburger. In einem »zweiten Türkenkrieg« (1716–1718) eroberte Prinz Eugen Belgrad. Im Frieden von Passarowitz mußten die Osmanen auch Nord-Serbien an Österreich übergeben. In einem »dritten Türkenkrieg« schließlich gewannen die Osmanen 1739 Belgrad wieder zurück.

In den letzten Krieg mit den Türken (1787–1791) wurde Joseph II. durch Rußland hineingezogen. Längst hatte es sich gezeigt, daß nicht mehr die Osmanen, sondern das russische Zarenreich der eigentliche Gegner Österreichs in Südosteuropa war. Im 19. Jahrhundert verbündete sich deshalb das Osmanenreich mit Österreich. Mit Deutschland und Österreich trat es 1914 in den Ersten Weltkrieg ein.

Prinz Eugen (1663–1736)

Prinz Eugen von Savoyen ging als »der edle Ritter« in die Geschichte ein. Angeblich wurde er vom französischen Offizierskorps Ludwigs XIV. wegen zu kleiner Gestalt abgewiesen und trat deshalb in die österreichische Armee ein. Er war Feldmarschall in habsburgischen Diensten. Seine Siege über die Osmanen und die Franzosen begründeten die österreichische Vormachtstellung des 18. Jahrhunderts. Mit seiner Hilfe erreichte das Habsburgerreich unter Karl VI. seine größte Ausdehnung.
Prinz Eugen erbaute das Barockschloß Belvedere in Wien.

Kroatien schufen die Habsburger mit der sogenannten *Militärgrenze* eine schlagkräftige Grenzorganisation. Privilegierte und daher hochmotivierte kroatische Wehrbauern, aber auch zahlreiche serbisch-orthodoxe Flüchtlinge vom osmanisch beherrschten Balkan wurden hier angesiedelt. Ihre Kaisertreue war sprichwörtlich.

Das Riesenreich der Osmanen mit seinem Zentrum in der Sultanstadt Istanbul – es erstreckte sich über Südosteuropa, Vorderasien und Nordafrika – war längst aus den Fugen geraten. 1683 versuchten die Osmanen daher, ihre inneren Schwierigkeiten mit einem großen außenpolitischen Erfolg zu kompensieren – mit der Eroberung Wiens.

Bevor die Türken die Stadt einschlossen, verlagerte Kaiser Leopold I. (1658–1705) seinen Hofstaat nach Passau. Leopold, der dem geistlichen Stand und der Musik zuneigte, griff nicht persönlich in das Kriegsgeschehen ein. Der vollständige Sieg der kaiserlichen, bairischen, lothringischen und polnischen Truppen – den Oberbefehl hatte der polnische König Johann Sobieski – über die Osmanen in der Schlacht am Kahlenberg bei Wien 1683 eröffnete die Phase der offensiven *österreichischen Türkenkriege* der Jahre 1684 bis 1718. Der bedeutendste Staatsmann und Feldherr Leopolds war *Prinz Eugen von Savoyen.*

Im epochalen Friedensschluß von *Karlowitz* (bei Belgrad) 1699 traten die Osmanen Ungarn und Siebenbürgen an Österreich (nicht an das Deutsche Reich) ab. Damit war das ganze ungarische Stefansreich unter der Habsburgerkrone wieder vereinigt. Der oppositionelle ungarische Adel blieb aber auch in der Folgezeit ein immerwährender Unruheherd.

Donau und Save bildeten von da ab die Grenze der Habsburgermonarchie nach Südosten. Mit diesem gewaltigen Territorialzuwachs erschien Österreich, die Monarchia Austriaca, erneut als Großmacht auf der europäischen Bühne.

Vom 18. Jahrhundert an lag der Schwerpunkt der Habsburgermacht eindeutig im Donauraum. Österreich wuchs als *Donaustaat* sozusagen aus dem Römisch-Deutschen

Österreichischer Barock

Der österreichische Barock ist der süddeutsche Stil des Absolutismus und der Gegenreformation. Die Kaiser Leopold I. (1658–1705) und Josef I. (1705–1711) waren ehrgeizige Bauherren. Ihnen standen schöpferische Architekten wie Johann Bernhard Fischer von Erlach (1656–1723) und Johann Lukas von Hildebrandt (1668–1745) zur Seite, die so berühmte Bauwerke wie Schloß Schönbrunn (Fischer von Erlach) oder Schloß Belvedere (Hildebrandt) schufen. Die österreichische Barockarchitektur stellt den Beginn eines Aufschwungs der deutschen Kunst allgemein dar, die mit Balthasar Neumann (1687–1753) ihren Höhepunkt erreichte.

Reich hinaus. Durch ein großangelegtes *Kolonisationswerk* wurden im neueroberten Gebiet zahlreiche Deutsche (*Donauschwaben*) angesiedelt.

Trotz der außenpolitischen Belastungen kam es Anfang des 18. Jahrhunderts in Österreich zu einer ausgesprochenen Blüte der Kunst mit Wien als deren Zentrum. Der *Österreichische Barock* bildete sich heraus.

2. Die Erbfolgekriege (1700–1745)

Mit dem Tod des letzten spanischen Habsburgers Karl II. im Jahr 1700 wurde die Frage der spanischen Erbfolge akut. Wieder standen sich die französischen Bourbonen und die Habsburger gegenüber.

Der alte dynastische Gegensatz Wittelsbach-Habsburg manifestierte sich im Bündnis Baierns mit Ludwig XIV. von Frankreich. Auf der Seite des habsburgischen Kaisers Josef I. (1705–1711) stand die Kolonial- und Seemacht England, die die französische Kolonisation in Nordamerika einschränken wollte. Josef selbst war von Reformgedanken geprägt und umgab sich in Wien mit einem »jungen Kabinett«.

Der *Spanische Erbfolgekrieg* (1701–1714) endete mit einer Aufteilung des Spanischen Reiches und besiegelte seinen Niedergang. Auf den spanischen Thron kam eine Nebenlinie der französischen Bourbonen. Als Ausgleich erhielten die Habsburger die wichtigen Spanischen Niederlande, das spätere Belgien.

1738, nach dem *Polnischen Thronfolgekrieg* (1733–1738) gelangten – als Kompensation für das bourbonisch gewordene Neapel und Sizilien – auch die Herzogtümer Parma und Piacenza in ihren Besitz. Damit hatten die Habsburger in Oberitalien Fuß gefaßt.

Gleichzeitig kam das Herzogtum Lothringen endgültig zu Frankreich. Der lothringische Herzog Franz Stephan, seit 1736 mit Karls VI. Tochter Maria Theresia vermählt, wurde dafür mit dem Großherzogtum Toskana (Florenz) entschädigt. Einen derartigen dynastischen Ländertausch bezeichnete man als *Konvenienz-Politik* (Politik der Übereinkunft ohne Krieg).

Unter Kaiser Karl VI. (1711–1740) erreichte die österreichisch-habsburgische Monarchie im Zeitraum zwischen 1714 und 1738 die größte territoriale Ausdehnung in ihrer Geschichte. Habsburgisch waren die österreichischen Erbländer, Böhmen mit Schlesien, Ungarn mit Siebenbürgen, Belgien und Luxemburg, sowie – bis 1738 – Unteritalien (Neapel) und Sizilien.

Karl VI. hatte keinen männlichen Erben. Die österreichische Linie des Hauses Habsburg war damit nach dynastischem Erbrecht an ihrem Ende angelangt.

Um die Unteilbarkeit des Hauses Habsburg und der österreichischen Monarchie zu sichern, erließ Karl VI. bereits im Jahr 1713 die *Pragmatische Sanktion,* in der die weibliche Erbfolge für das Haus Habsburg festgelegt wurde.

Die Erbfolge-Stellung der Tochter Karls VI., Maria Theresia, war deshalb bald umstritten. Erschwerend kam

Pragmatische Sanktion (1713)

Zunächst handelte es sich bei der Pragmatischen Sanktion (wörtlich: Vorgabe oder Erlaß zum Handeln) um ein dynastisches Hausgesetz, das die Unteilbarkeit des habsburgischen Länderbesitzes festlegte und die Erbfolge zugunsten Maria Theresias auch auf weitere weibliche Nachfolger ausdehnte. Die österreichischen Landstände akzeptierten die Pragmatische Sanktion nach und nach, das gleiche galt für Ungarn. 1723 wurde die »Sanctio pragmatica« als Reichsgesetz proklamiert, aber von Baiern, Preußen und Sachsen nicht anerkannt.

Maria Theresia (1717–1780)

Maria Theresia wurde 1717 als älteste Tochter Kaiser Karls VI. und seiner Gemahlin Elisabeth Christine von Braunschweig geboren. Der Titel *Kaiserin* ist nicht ganz korrekt. Juristisch führte Maria Theresia den römisch-deutschen Kaisertitel nur als Ehefrau des gekrönten Kaisers Franz I. Stephan. In Wirklichkeit stand dieser aber in allen politischen Entscheidungen völlig in ihrem Schatten.
Von den 16 Kindern Maria Theresias überlebten zehn, darunter die späteren Kaiser Leopold und Josef und die französische Königin Marie Antoinette. Maria Theresia starb 1780. Ihr Grabmal ist in der Kapuzinergruft in Wien.

hinzu, daß sie sich nicht mit einem wichtigen Herrscherhaus (Bourbon, Wittelsbach, Hohenzollern) verbunden hatte, sondern mit dem politisch unbedeutenden Herzog Franz Stephan von Lothringen-Toskana (Kaiser von 1745–1765).

Die Thronbesteigung Maria Theresias 1740 wurde von Frankreich und seinen Verbündeten, Baiern, Preußen und Sachsen, mit einem Aufteilungsplan der österreichischen Monarchie beantwortet:

Der Kaisertitel sollte zusammen mit den österreichischen Erblanden an den wittelsbachisch-bairischen Kurfürsten Karl-Albrecht fallen, Schlesien an Preußen, Belgien an Frankreich angegliedert werden. Für Maria Theresia wäre in diesem Fall nur das äußerst unsichere Ungarn verblieben.

Die Seemacht England stellte sich wegen ihrer anti-französischen Politik in Übersee ganz auf die Seite Österreichs.

In Ungarn fand Maria Theresia einen unerwartet starken Rückhalt. Der *Österreichische Erbfolgekrieg*

(1740–1748) spielte sich auf verschiedenen Kriegsschauplätzen ab. König Friedrich II. von Preußen (der »Alte Fritz«) eroberte bis 1742 Schlesien, eine sehr reiche und wirtschaftlich hochstehende Provinz. Die gesamten österreichischen Besitzungen in Oberitalien gingen verloren.

Der Wittelsbacher Thronrivale wurde zwar 1742 als Karl VII. Albrecht zum römisch-deutschen Kaiser gewählt, mußte jedoch bald vor den Österreichern fliehen und starb 1745. Nur für drei Jahre konnte also ein Nicht-Habsburger die lange Reihe der habsburgischen Herrscher auf dem Kaiserthron von 1438 bis 1806 unterbrechen.

Im Frieden von Füssen 1745 verzichteten die Wittelsbacher auf alle Ansprüche gegen Habsburg. Dagegen mußte Maria Theresia die Annexion Schlesiens durch Preußen anerkennen.

Als Gegenleistung dafür stimmte Friedrich II. der Kaiserkrönung Franz I. Stephans 1745 zu. Mit diesem Kaiser begann die noch heute bestehende Dynastie *Habsburg-Lothringen.*

3. Der österreichisch-preußische Dualismus

Mit dem Machtzuwachs Preußens unter Friedrich II. (1740–1786) begann der österreichisch-preußische Dualismus, das Ringen um die Vorherrschaft im Deutschen Reich.

Preußens Auftreten als neuer, gefährlicher Gegner für Österreich brachte das alte europäische Bündnissystem zum Einsturz. Nicht mehr das bourbonische Frankreich war nun der Hauptwidersacher Wiens, sondern Berlin. Zur eigentlichen Großmacht und zum Schiedsrichter in Europa aber hatte sich seit 100 Jahren England emporgeschwungen. London sah in Frankreich wegen der umstrittenen Kolonialbesitzungen in Amerika seinen Hauptkontrahenten.

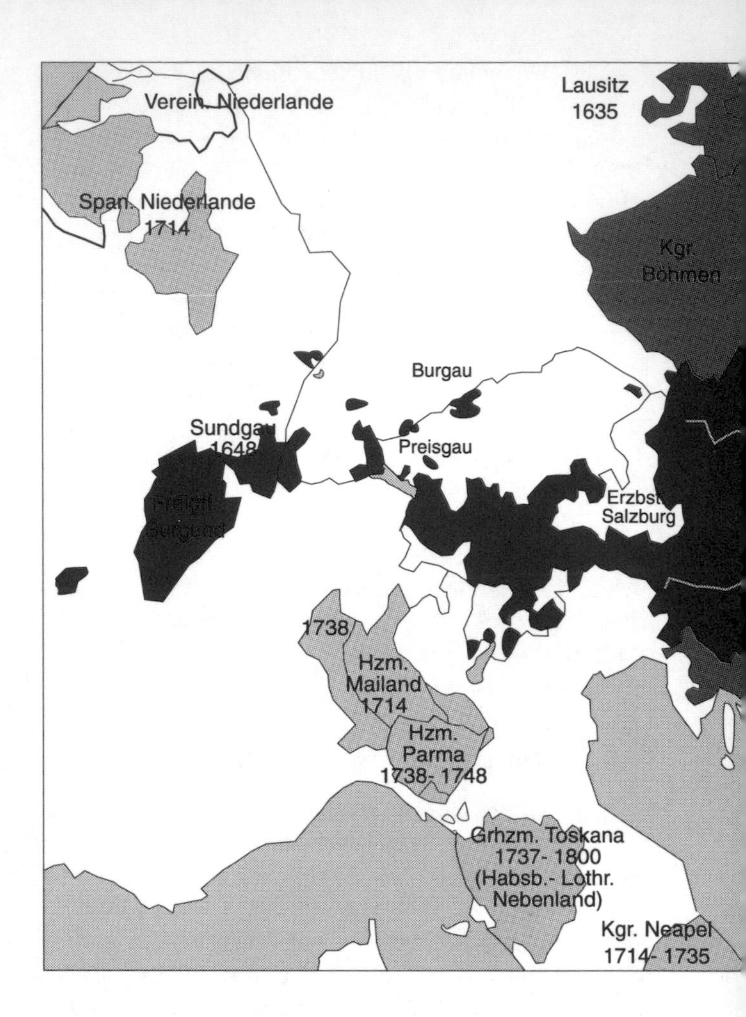

Maria Theresias Kanzler, Anton Graf von Kaunitz, gelang es in zähen Verhandlungen, einen Umsturz der Allianzen (*Reversement des Alliances*) zustande zu bringen. Dadurch konnte der Dynastenstreit Bourbon-Habsburg beigelegt und 1756 eine österreichisch-französische Allianz begründet werden. Frankreich war in Übersee

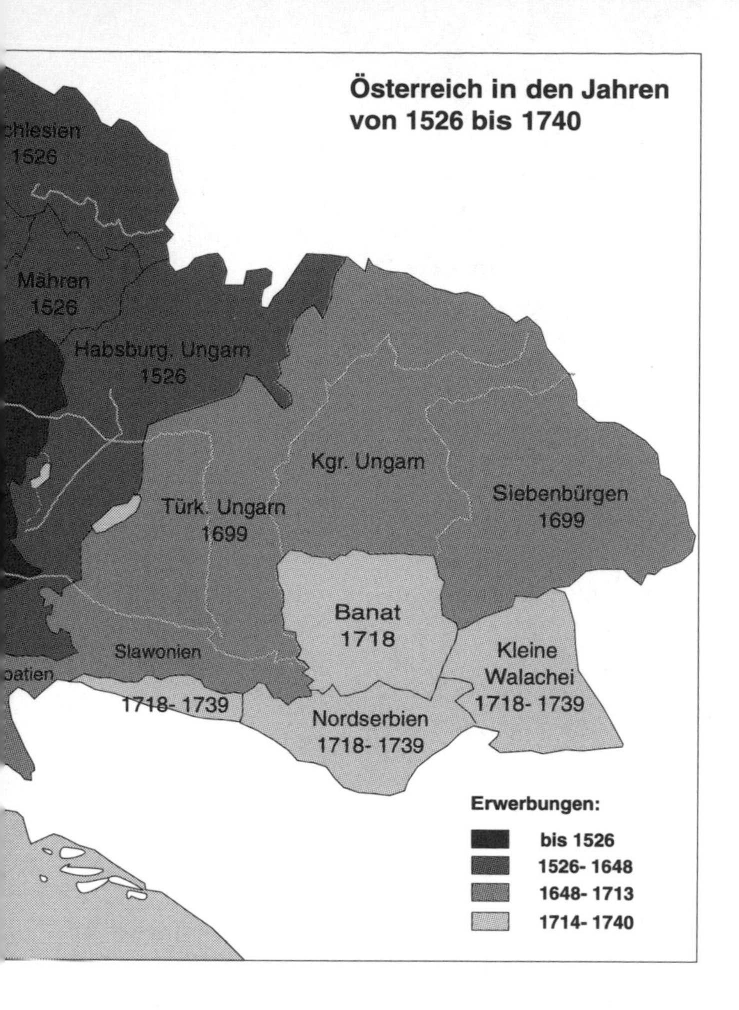

gegen England ins Hintertreffen geraten und lehnte sich an Österreich an. Die dynastische Heirat von Maria Theresias Tochter Marie Antoinette mit dem französischen König Ludwig XVI. sollte diese Allianz 1770 besiegeln.

Trotz schwerer Bedrängnis aber gelang es Friedrich II., seinen schlesischen Besitzstand im folgenden *Siebenjäh-*

Maria Theresianisches Zeitalter

Unter Maria Theresia begann der Umbau des noch zum Teil ständisch strukturierten Österreichs in einen neuzeitlichen absolutistischen Staat. Dabei wurden zahlreiche Reformen eingeleitet: Zurückdrängung von Kirche und Adel, Förderung des Wirtschafts- und Bildungsbürgertums, Trennung der Rechtspflege von der Verwaltung, Vereinheitlichung des Steuerrechts, staatliche Fürsorge, Schulwesen, Gründung von Wohlfahrtseinrichtungen und Krankenhäusern. Diese Reformen erstreckten sich in der Regel auf die Erbländer. Ungarn, dessen staatsrechtliche Stellung als Königreich Maria Theresia ausdrücklich anerkannte (1740 war sie als ungarischer König (!) gekrönt worden), beharrte weiterhin auf seiner ständisch-mittelalterlichen Verfassung.
Unter Maria Theresia erlebte die bildende Kunst des Barock mit Schloß Schönbrunn ihren Höhepunkt. Der österreichische Barock mit dem typischen »Habsburgisch-Gelb« der Bauten verbreitete sich über die ganze Monarchie.

rigen Krieg (1756–1763) gegen Österreich und Frankreich zu wahren. Der österreichisch-preußische Gegensatz blieb somit weiter bestehen.

Unregierbarkeit und »revolutionäre« Umtriebe im Wahlkönigreich Polen bewogen Preußen und Rußland zu den drei *Polnischen Teilungen* 1772, 1793 und 1795. Gleichzeitig sollten Spannungen zwischen Österreich und Rußland damit auf Kosten des polnischen »Unruheherds« beigelegt werden. Österreich beteiligte sich daran eher widerstrebend und nur, um nicht leer auszugehen. 1772 gewann es Galizien (Lemberg) und Lodomerien, 1775 die Bukowina (Tschernowitz) und 1795 Krakau. Für die dortige Bevölkerung bedeutete die österreichische Herrschaft einen deutlichen kulturellen und sozialen Aufstieg.

Auch Baiern sollte nun endlich habsburgisch werden. Pläne, die Wittelsbacher mit Belgien zu entschädigen, scheiterten aber am preußischen Einspruch. Immerhin gewann Österreich im Frieden von Teschen 1779 das bis dato bairische Innviertel mit Schärding.

VIII. Der Reformkaiser Joseph II. (1780–1790)

Schon unter Maria Theresia hatten sich die Gedanken der *Aufklärung* in Form der Idee des *aufgeklärten Absolutismus* am Wiener Hof verbreitet.

Mit Kaiser Joseph II., seit 1765 Mitregent seiner Mutter Maria Theresia, wurde die Aufklärung monarchisch sanktioniert und quasi per kaiserlichen Befehl eingeführt. In rascher Folge erließ Joseph II. grundlegende Reformen und Modernisierungsmaßnahmen:

- *Aufhebung der Leibeigenschaft* der Bauern 1776 (in Preußen erst 1807)

Aufklärung, aufgeklärter Absolutismus

Die Aufklärung forderte den Gebrauch der Vernunft des Menschen zur Gestaltung seines Lebens. Vor allem das Bürgertum wurde damit angesprochen. Die bürgerlichen, »aufgeklärten« (= vernünftigen, rationalen) Werte *Bildung, Fortschritt, individuelle Freiheit* und *persönliche Verantwortung* wurden von aufgeklärten Herrschern wie Friedrich II. von Preußen oder Kaiser Joseph II. mit dem fürstlichen Absolutismus gegen die rückständigen feudalen Ständestrukturen von Adel und Kirche verbunden. Sie versuchten, ein »vernünftiges« Staatssystem zu schaffen. Soziale Reformen mußten dabei auch gegen den Widerstand traditionell gesonnener Untertanen durchgesetzt werden. Durch die *Revolution von oben* sollte umstürzlerischen gesellschaftlichen Entwicklungen, wie man sie dann in der Französischen Revolution erlebte, der Wind aus den Segeln genommen werden.

Josephinismus

Das Josephinische Staatskirchentum wird als »Josephinismus« bezeichnet. Kaiser Joseph II. versuchte, die katholische Kirche der Staatshoheit zu unterstellen. Für die Verbreitung von Bildung und Fortschritt (der »natürlichen Religion«) sei nur der Staat verantwortlich. Daher wurde ein weltliches Schul- und Bildungssystem eingeführt. Unter Joseph II. bedurften päpstliche Erlasse an den österreichischen Klerus der kaiserlichen Genehmigung. Im Zuge der Kirchenreform wurden fast 700 Klöster aufgehoben (*Säkularisation*), die kirchlichen Feiertage zusammengestrichen, Wallfahrten und Prozessionen verboten. Damit stieß der Kaiser auf den Widerstand breiter, religiös geprägter Volksschichten.

- *Toleranz* im religiösen Bereich, Trennung von Kirche und Staat, staatliche Aufsicht über die Kirche (*Josephinismus*)
- *Zivilehe*
- Formulierung eines *Allgemeinen Bürgerlichen Gesetzbuches*

Josephs Ziel war ein »rational« aufgebauter, zentralisierter Staat mit einheitlicher Bürokratie, effektiven Zentralbehörden und allgemein gültiger deutscher Amtssprache. Seine Regierungszeit war zu kurz, um dieses Staatsideal zu erreichen.

Größten Widerstand setzte der ungarische Adel den josephinischen Maßnahmen entgegen, indem er alle Reformen in seinem Reichsteil sabotierte. Dies sollte mit ein Grund für die auffallende Rückständigkeit Ungarns gegenüber Österreich und Böhmen werden.

Auch Josephs Bruder, Leopold II. (1790–1792), blieb

dem Reformgedanken verpflichtet. Vor seiner Kaiserkrönung hatte er das Großherzogtum Toskana verwaltet und dort im kleinen einen aufgeklärten Musterstaat errichtet. 1791 schloß Leopold mit dem Osmanenreich endgültig Frieden. Die südosteuropäischen Provinzen Habsburgs erlangten dadurch eine fast 100jährige beispiellose Friedenszeit. Durch seinen frühen Tod konnten jedoch die Reformvorhaben nicht verwirklicht werden.

IX. Die Habsburger als Bewahrer der Monarchie (1790–1815)

Leopolds Sohn Franz II. (1792–1806) war wieder völlig der übernationalen, dynastischen Kaiseridee verpflichtet. Den neuen revolutionären Ideen des Nationalismus, Liberalismus und der Volkssouveränität stand er ablehnend gegenüber.

Das gewaltsame Vorgehen gegen den Adel während der *Französischen Revolution* (1789–1792), besonders aber die Hinrichtung des französischen Königspaares 1793, also auch der Habsburgerin *Marie Antoinette*, ließen den Habsburger Hof zum Garanten der monarchischen Ordnung werden.

Marie Antoinette (1755–1793)

Die nur aus Gründen der Staatsräson zustande gekommene Verbindung der jüngsten Tochter Maria Theresias, Maria Antonia, mit dem französischen König Ludwig XVI. (1754–1793) ging an den Realitäten der Zeit völlig vorbei. Frankreich befand sich im gesellschaftlichen Umbruch, der König war regierungsunfähig und wurde nicht mehr ernstgenommen. Verschiedene Affären und Skandale, z. B. die sogenannte »Halsbandaffäre«, machten die Königin bald in Frankreich unmöglich. Man nannte sie »L'Autrichienne«, die Österreicherin, oder »Madame Deficit«. Politisch ungeschicktes Verhalten während der Revolution besiegelte ihr Schicksal, das keineswegs unabwendbar gewesen wäre. Wegen Hochverrats (Geheimkorrespondenz mit fremden Mächten) wurde sie zehn Monate nach ihrem Mann im Oktober 1793 auf der Guillotine enthauptet.

Joseph Haydns *Kaiserhymne* von 1796 drückte den Willen des Hauses Habsburg, die monarchische Staatsform und das Gottesgnadentum zu bewahren, deutlich aus: »Gott erhalte Franz den Kaiser...«.

1. Die Gründung des Kaiserreichs Österreich (1806)

Gegen die neue französische Republik erwies sich Franz II. als machtlos. Napoleon Bonaparte, seit 1804 Empereur, d. h. Kaiser, der Franzosen, setzte sich im Gegenteil siegreich gegen alle antifranzösischen, von Österreich geführten Kriegskoalitionen durch. Er gestaltete Europa nach republikanischen, bürgerlichen und liberalen, machtpolitisch aber nach französisch-national orientierten Gesichtspunkten um.

Bereits im Frieden von Campoformio 1797 hatte Österreich alle linksrheinischen Besitzungen einschließlich Belgien an Frankreich abgetreten. Frankreich dehnte sich nun bis zur Rheingrenze aus. Österreich erhielt dafür Venedig und die venezianischen Besitzungen in Istrien und Dalmatien.

Nach der Schlacht von Austerlitz 1805 zog Napoleon siegreich in Wien ein und nahm Quartier im Schloß Schönbrunn. Im anschließenden Frieden von Preßburg im gleichen Jahr verlor Österreich Venedig, Istrien und Dalmatien an die neue Republik; Illyrien, Tirol und Vorarlberg an das neue Königreich Baiern. Dafür wurde das säkularisierte Erzbistum Salzburg seinem Besitz zugeschlagen.

Die Gründung des *Rheinbundes* unter napoleonischem Protektorat im Jahr 1806, an dem alle deutschen Territorien mit Ausnahme Österreichs beteiligt waren, bedeutete das *Ende des Alten Reiches,* des Heiligen Römischen Reiches Deutscher Nation. Franz II. legte am 6. August 1806 die römisch-deutsche Kaiserkrone nieder und übernahm als Franz I. den 1804 bereits neugeschaffenen *öster-*

reichischen Kaisertitel, der erblich war. Österreich wurde dadurch zum *Erbkaisertum* und führte fortan die Reichsfahne mit dem *Doppeladler* als österreichisches Wappen.

Die von Erzherzog Karl, dem Bruder Kaiser Franz I. und österreichischem Oberbefehlshaber, 1809 ausgerufene *Österreichische Erhebung* schlug fehl. In Tirol scheiterte Andreas Hofer. Salzburg und Tirol wurden an den napoleonischen Verbündeten Baiern angegliedert.

Napoleon wünschte eine dynastische Verbindung mit dem habsburgischen Kaiserhaus und ging 1810 deshalb mit *Marie Louise* von Österreich die Ehe ein. Der Grund für diese für beide Seiten ungewöhnliche Verbindung war

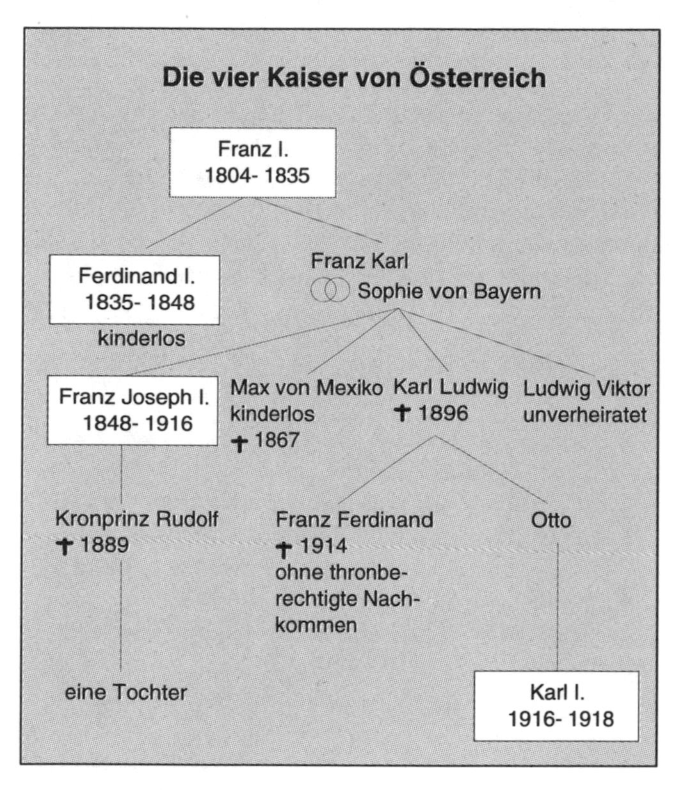

Doppeladler

Als römisches Kaisersymbol war der Doppeladler vom Römisch-Deutschen Reich übernommen worden und galt im 15. Jahrhundert offiziell als Reichswappen. Die Zweiköpfigkeit weist auf das weltumspannende universale Kaisertum hin. Unter den Kaisern der Habsburger wurde der österreichische Bindenschild (*Rot-Weiß-Rot*) hinzugefügt. Nach 1806 behielt man den Doppeladler als österreichisches Kaiserwappen bei. Nach 1867 blieb die Frage offen, ob sich das Wappen auch auf die ungarische Reichshälfte erstreckte.

die Einsicht Napoleons, ohne Hilfe Österreichs den geplanten Rußlandfeldzug nicht durchführen zu können. Auf österreichischer Seite war der neue Reichskanzler Fürst Metternich die treibende Kraft. Er versuchte, durch dynastische Einbindung Napoleons in den Hochadel das alte Königtum in Frankreich wiederherzustellen.

Marie Louise, Kaiserin der Franzosen (1791–1847)

Die älteste Tochter Franz II. (I.), Marie Louise, wurde 1810 mit Napoleon verheiratet Fünf Jahre war sie Kaiserin der Franzosen. Obwohl die Ehe mit der Habsburgerin rein politisch bedingt war, kamen beide Partner zu gutem persönlichem Einvernehmen. Nach dem Sturz Napoleons wurde Marie Louise mit den Herzogtümern Parma und Piacenza abgefunden, ihr Sohn Napoleon Franz Josef erhielt den (leeren) Titel eines Herzogs von Reichstadt und starb 1832 ohne Nachkommen.

2. Der Wiener Kongreß (1814/15)

Erst die totale Niederlage Napoleons in Rußland 1812 machte die *Deutschen Befreiungskriege* (1813–1815) möglich, an denen sich auch Österreich entscheidend beteiligte. Nach dem Sieg der verbündeten Russen, Preußen, Österreicher und Engländer über Napoleon in der Völkerschlacht bei Leipzig 1813 und zuletzt bei Waterloo 1815 ordneten die Siegermächte im *Wiener Kongreß* 1814/15 die Landkarte Europas neu.

Das neue Kaisertum Österreich unter Franz I., diplomatisch vertreten durch den Staatskanzler *Metternich,* verzichtete auf Belgien und die alten vorderösterreichischen Besitzungen mit Ausnahme Vorarlbergs. Dafür aber gewann es das *Lombardo-Venezianische Königreich,* d. h. fast ganz Oberitalien, bestehend aus der Lombardei mit Mailand und dem Veneto mit Venedig. Auch Istrien und Dalmatien (mit Ragusa/Dubrovnik) wurden Wien zugesprochen. Österreich war nun *adriatische Seemacht.* Habsburgische Sekundogenituren (= Seitenlinien) herrschten zudem in der Toskana, in Parma und Piacenza.

Zusammen mit dem ehemaligen Erzbistum Salzburg war der gesamte Ostalpenraum habsburgisch-österreichisch geworden.

Die deutschen Fürsten schlossen sich zum lockeren *Deutschen Bund* zusammen, einer Konföderation nahezu souveräner Staaten. Österreich übernahm das Präsidium, obwohl mehr als die Hälfte seines Gesamtstaatsgebiets außerhalb der Grenzen des Deutschen Bundes lag. Damit kam die alte Rivalität mit Preußen wieder zum Durchbruch. Der österreichisch-preußische Dualismus des 18. Jahrhunderts setzte sich, nur unterbrochen durch die gemeinsame Gegnerschaft gegen Napoleon, bis ins 19. Jahrhundert fort. Nach dem Wiener Kongreß 1815 war das Kaiserreich Österreich zur Vormacht in Deutschland, Italien, im Adriaraum und Südosteuropa geworden.

X. Die Donaumonarchie (1815–1867)

Trotz der Zentralisierungsbemühungen Wiens war das neue Kaiserreich Österreich keineswegs ein einheitliches Staatsgebilde.

1. Das habsburgische Länderkonglomerat

»Österreich« umfaßte eine Vielzahl von Ländern und staatlichen Formen (Königreiche, Erzherzogtümer, Herzogtümer, Markgrafschaften), die zum Teil noch von eigenen Länderregierungen verwaltet wurden. Die Gemeinsamkeit bestand in der übergeordneten erblichen Habsburgermonarchie.

Im einzelnen gehörten folgende Gebiete zu Österreich:

- Die habsburgisch-österreichischen Erblande, bestehend aus den Erzherzogtümern Ober- und Niederösterreich, Steiermark, Kärnten, Krain (Slowenien) und der gefürsteten Grafschaft Tirol (mit Welschtirol = Trentino). Seit 1618 galt auch das Königreich Böhmen als Erbland
- Der Rest der vorderösterreichischen Besitzungen, bestehend aus Vorarlberg
- Das Königreich Ungarn (einschließlich Kroatien, Slowakei und Banat), zusammen mit dem Großfürstentum Siebenbürgen und dem Königreich Slawonien
- Das Königreich Galizien und Lodomerien (die polnischen Länder)
- Das Herzogtum Bukowina
- Das Lombardo-Venezianische Königreich, die Herzogtümer Parma und Modena
- Das Königreich Dalmatien und die Markgrafschaft Istrien

2. Die Nationalitäten und der Nationalismus

Österreich war ein ausgesprochenes Vielvölkerreich, ein *Nationalitätenstaat.*

Die Hauptnationalitäten waren:

- Deutsche (Alpenländer, Böhmen, Banat, Siebenbürgen). Faktisch kam ihnen durch ihre Zahl und durch die kulturtragende städtische deutsche Bürgerschicht die Rolle des Staatsvolkes zu. Die Sprache der Administration war Deutsch. Auch der Kaiserhof sprach deutsch, betonte aber seine Übernationalität
- Ungarn (Magyaren)
- Italiener (auch in Istrien und Dalmatien)
- Slawische Völker: Tschechen, Slowaken, Slowenen, Kroaten, Polen, Ruthenen (= Ukrainer)
- Rumänen in Siebenbürgen (»Walachen«)

Zur stärksten politischen und gesellschaftlichen Triebkraft wurde im 19. Jahrhundert der *Nationalismus.* Das Bestreben der einzelnen Nationen, in eigenen Grenzen mit eigener Sprache und Kultur zu leben (*Nationalitätenprinzip*), führte zu Unabhängigkeitsbewegungen von der als »deutsch« empfundenen Zentralregierung in Wien. Der Nationalismus bildete daher für die Habsburger eine revolutionäre und staatsgefährdende Bewegung. Als staatstragende Ideologie duldete das Kaiserreich nur den dynastisch ausgerichteten, auf Thron und Altar bezogenen österreichischen Patriotismus. Der Nationalismus der Ungarn, Italiener und Slawen war die größte Herausforderung der habsburgischen Vielvölkermonarchie im 19. Jahrhundert. In drei Etappen wurde das übernationale Reich auseinandergesprengt: 1866 durch die Unabhängigkeit Italiens, 1867 durch die Eigenständigkeit Ungarns und 1918 durch die Unabhängigkeit der slawischen Völker. Übrig blieb »Deutsch-Österreich« in den heutigen Grenzen.

XI. Das System Metternich (1815–1848)

Nach dem Wiener Kongreß erlangten wieder die alten monarchistisch-konservativen Kräfte die Oberhand. Die Verkörperung dieser *Restauration* (Wiederherstellung der alten vornapoleonischen Ordnung) war der österreichische Staatskanzler Fürst Metternich.

Der Staatskanzler bestimmte die habsburgische Politik, nicht Kaiser Franz I. (1806–1835) oder gar der wegen Krankheit regierungsunfähige Ferdinand I. (1835–1848).

Ferdinand I., der Gütige (1793–1875)

Das Legitimationsprinzip brachte es mit sich, daß an der Erbfolge auch dann unbedingt festgehalten wurde, wenn der Thronfolger krank oder schwachsinnig war. Ferdinand I. (1793–1875, Kaiser 1835–1848) war durch Epilepsie behindert und konnte sich den Staatsgeschäften nicht widmen. Eine *Staatskonferenz* unter Fürst Metternich übernahm die Regierung. Nach der erzwungenen Abdankung Ferdinands 1848 wäre die Kaiserwürde nach legitimistischem Prinzip auf seinen Bruder Franz Karl (1802–1878) übergegangen. Dieser war »minder begabt«, konnte aber dazu gebracht werden, zugunsten seines Sohnes Franz Joseph (1848–1916) auf den Thron zu verzichten.
Die *legitimistische Erbfolge* ohne Rücksicht auf die Person und die Fähigkeiten eines Berechtigten brachte die Erbmonarchie in Verruf. Unverständlich blieb, daß durchaus »kaiserwürdige Persönlichkeiten« unter den Erzherzögen nicht berücksichtigt wurden, nur weil sie an zweiter oder dritter Stelle der Erbfolge standen.

Konstitutionelle Monarchie

In der konstitutionellen Monarchie ist die Macht des Monarchen durch eine Verfassung gesetzlich eingeschränkt. Es herrscht Gewaltenteilung zwischen Exekutive (Staatsoberhaupt = Monarch) und Legislative (Parlament). Im Idealfall ist die Rechtsprechung unabhängig.

Metternich führte die absolutistische Regierungsform wieder ein und bekämpfte aufs schärfste die neuen Ideen Liberalismus, Demokratie, allgemeines und gleiches Wahlrecht, Nationalstaat und Volkssouveränität. Bis zuletzt wehrte er sich gegen eine Verfassung (*Konstitution*), die das überholte absolutistische System in eine zeitgemäße *konstitutionelle Monarchie* umgestaltet hätte.

Der habsburgische Kaiserhof hielt bis 1867 und rheto-

Habsburgisches Familienstatut 1839

Um einheitliches Handeln auch in reinen Familienangelegenheiten zu gewährleisten, erließ das Haus Habsburg 1839 das *Familienstatut*. Darin wurde festgelegt, daß der jeweilige Kaiser das absolut herrschende Familienoberhaupt sei. Er entschied über die Eheschließungen und Apanagen der Familienmitglieder.

Als ehewürdig erkennt das Familienstatut nur Geschlechter an, die bis zu den 16 Ururgroßeltern souveränen Hochadel nachweisen können. *Morganatische* (unstandesgemäße) Ehen wurden mit dem völligen Verlust von Erbfolgerechten, ja sogar mit dem Ausschluß aus dem Haus Habsburg geahndet. Dies kam unter Kaiser Franz Joseph mehrfach vor.

risch sogar bis 1918 am absolutistischen Gottesgnadentum und am *Legitimationsprinzip* der Habsburgerkrone fest.

Das Monarchische Legitimationsprinzip vertritt den rechtmäßigen Herrschaftsanspruch eines Herrscherhauses aufgrund des christlichen Gottesgnadentums. Es beruht auf dem religiösen Prinzip des Auserwähltseins (Herrscher von Gottes Gnaden) und ist mit der erblichen Thronfolge einer Dynastie verbunden. Für die Habsburgermonarchie war dies das Grundgesetz.

1815 schlossen sich die konservativen Monarchien Preußen, Rußland und Österreich zur *Heiligen Allianz* zusammen. Sie versicherten sich gegenseitiger Hilfe gegen republikanische, liberale, demokratische und nationale Umtriebe. Innenpolitisch herrschte strengste Zensur. Überall in Europa, wo »revolutionäre Unruhen« ausbrachen, intervenierte die Heilige Allianz militärisch und stellte die alte »gottgewollte Ordnung« wieder her.

XII. Die Revolution von 1848

Die Revolution von 1848 war ein gesamteuropäisches Phänomen. Nationale und liberale (also »bürgerliche«) Ideen waren die Auslöser für die Erhebung. Man forderte einen nationalen Verfassungsstaat, Bürgerrechte, Pressefreiheit, Gewerbefreiheit, Einberufung eines Parlaments, Umwandlung der absolutistischen Regierungen in Republiken oder konstitutionelle Monarchien.

1. Österreich

In Wien führte die Revolution von 1848 zum Sturz Metternichs und zur Abdankung Kaiser Ferdinands. Der Kaiserhof übersiedelte wegen der heftigen Straßenkämpfe für kurze Zeit nach Innsbruck. Auch in Prag, Preßburg, Krakau, Lemberg und Budapest kam es zu Aufständen, die hier antiösterreichischen Charakter trugen. Daraufhin wurde die erste österreichische Verfassung erlassen. Sie sah einen gewählten Reichstag als Parlament und einen vom Kaiser ernannten Senat vor. In Wien und Budapest radikalisierte sich die Lage Mitte 1848 jedoch bis hin zu schweren Barrikadenkämpfen. Der kaiserliche Hof zog sich nach Olmütz in Mähren zurück. Für das kaiserliche Militär unter Fürst Windischgrätz bot sich nun die Gelegenheit, die Revolution insgesamt (also nicht nur ihre radikalen Auswüchse) niederzuschlagen.

Der österreichische Reichstag wich vom umkämpften Wien nach Kremsier (Kromeriz) aus und erarbeitete dort eine weitere Reichsverfassung. Da der Kremsier Reichstag die ungarische und italienische Unabhängigkeit anerkannt hatte, sollte die neue Verfassung nur für die Erbländer, Böhmen, die polnischen Gebiete und Dalmatien gelten. Sie entwarf für diesen Teil des Staates eine konstitutionelle Monarchie mit den Habsburgern als erbliche Staatsoberhäupter. Für die Nationen war Autonomie (innere Unabhängigkeit) vorgesehen. Nach der gewaltsamen Niederschlagung der Revolution in Wien und den militärischen Erfolgen des kaiserlichen Heeres in Italien und Ungarn sah der neue Kaiser Franz Joseph I. 1849 jedoch keine Veranlassung mehr, diese durch und durch bürgerliche *Kremsier Konstitution* anzuerkennen. Der Kremsier Reichstag wurde aufgehoben, die Verfassungsfrage vertagt. Für Franz Joseph sollte alles beim alten bleiben, vor allem wollte er den habsburgischen Gesamtstaat (also Österreich mit Ungarn und Italien) erhalten. Dies war aber nur mit Kriegsrecht möglich. In Frankfurt am Main trat im Mai 1848 in der *Paulskirche* die erste gesamtdeutsche Nationalversammlung unter Beteiligung Österreichs zusammen. Anstelle des Deutschen Bundes sollte ein deutscher Nationalstaat unter einer konstitutionellen Monarchie gegründet werden. Zum deutschen Reichsverweser – dem Vorstand der provisorischen Regierung – wurde *Erzherzog Johann* von Österreich gewählt.

Erzherzog Johann (1782–1859)

Der unter dem Einfluß der Aufklärung herangewachsene Erzherzog Johann, Sohn Kaiser Leopolds II., war in Tirol zusammen mit Andreas Hofer Gegenspieler Napoleons. Nach 1815 wirkte er als Ökonom und Kulturförderer und näherte sich bürgerlichen Gepflogenheiten an. 1829 heiratete er unstandesgemäß die Postmeisterstochter *Anna Plochl.*
1848 wurde er von der Frankfurter Nationalversammlung zum Reichsverweser des künftigen Deutschen Reiches bestellt, konnte sich aber gegen die kleindeutsch-preußische Richtung nicht durchsetzen. Vom Wiener Hof erfuhr er keinerlei Unterstützung, so daß er 1849 sein Amt in Frankfurt niederlegte.

Innerhalb des Parlaments in der Paulskirche formierten sich zwei politische Richtungen:

Die *Großdeutschen* wollten das gesamte österreichische Kaiserreich, zumindest den deutschsprachigen Teil innerhalb des Deutschen Bundes in das Deutsche Reich übernehmen. Wien sollte die Führungsrolle übertragen werden.

Die *Kleindeutschen* plädierten für einen von Berlin dominierten deutschen Nationalstaat ohne Österreich. Diese Richtung gewann schließlich die Oberhand.

2. Italien

Im kulturell und politisch hochentwickelten Oberitalien konnte sich das Haus Habsburg nur auf seine Besatzungstruppen und auf die »Operettendynastien« in Parma, Toskana und Modena stützen. Die Einigungsbewegung Italiens ging von bürgerlichen Revolutionären (*Risorgimento* = Wiederaufstieg) und vom national-italienischen Königreich Piemont-Savoyen aus, das in Frankreich seinen Rückhalt sah. Aufstände in Mailand, Florenz und Venedig und eine kriegerische Intervention Piemont-Savoyens wurden von den kaiserlichen Truppen unter Feldmarschall *Radetzky* 1849 abgewehrt.

3. Ungarn

In Ungarn eskalierte der Konflikt um die Staatsverfassung besonders tragisch. Nachdem die gemäßigte ungarische Volksversammlung in Budapest von Fürst Windischgrätz vertrieben worden war, rief der ungarische Reichsverweser Ludwig Kossuth 1849 die *Unabhängigkeit* aus. Das Haus Habsburg wurde für abgesetzt, Ungarn zur Republik erklärt. Die ungarische Honved (Heimwehr) konnte von Kaiser Franz Joseph nur mit Hilfe eines Kosakenheeres niedergeschlagen werden, das vom russi-

Johann Graf Radetzky (1766–1858)

Johann Graf Radetzky war ab 1836 österreichischer Feldmarschall. Er hatte bereits seit 1831 das Oberkommando in Oberitalien inne. Seine Siege gegen Piemont und die italienische Nationalbewegung (Schlacht bei Custozza 1848) ermöglichten im darauffolgenden Jahr auch die Niederwerfung der Revolution in Wien und in Budapest. Von der habsburgischen Propaganda wurde er als besonders volkstümlicher Heerführer aufgebaut.
Der ihm zu Ehren komponierte *Radetzky-Marsch* von Johann Strauß' Vater entstand 1848. Er bezieht sich nicht auf die Siege Radetzkys in Italien, sondern auf dessen Teilnahme an der Völkerschlacht bei Leipzig im Jahre 1813.

schen Zaren gesandt worden war. Die nicht-ungarischen Nationen innerhalb des Stefansreiches (Kroaten, Rumänen, Siebenbürger Sachsen), die sich entschieden kaisertreu gezeigt hatten, wurden von Wien jedoch nicht besonders belohnt. 1849 hat daher das Haus Habsburg in Ungarn seine Sympathien bei Magyaren wie auch bei Nicht-Magyaren großenteils verloren.

4. Der Sieg der Restauration

Der junge *Kaiser Franz Joseph* trat sein Amt 1848/49 an und bekämpfte die bürgerlich-nationale Revolution in Wien, Mailand und Budapest bedingungslos. Er hob die liberalen Verfassungen wieder auf und versuchte, den absolutistischen österreichischen Kaiserstaat unter der allumfassenden Habsburgerkrone erneut herzustellen. Auf allen Gebieten kehrte die Restauration zurück. Selbst Teile der josephinischen Kirchengesetzgebung wurden rückgängig gemacht.

1860 diktierte (»oktroyierte«) Franz Joseph als Staatsgrundgesetz das *Oktober-Diplom,* ein Jahr später das *Februar-Patent.* Beide Gesetze beschäftigten sich mit der politischen Stellung der einzelnen Länder im Habsburgerreich. Die Wahlordnung für die Landtage und den Reichsrat in Wien wurde nach einem nach Steueraufkommen abgestuften Wahlrecht (*Zensuswahlrecht*) festgelegt. Dieses Wahlverfahren favorisierte eindeutig den Großgrundbesitz (also den deutschen und ungarischen Adel) und das deutschsprachige Großbürgertum in den Städten. Der Nationalismus der am Staatsaufbau überhaupt nicht beteiligten Slawen erfuhr daraufhin einen mächtigen Aufschwung.

XIII. Habsburg und Europa in der zweiten Hälfte des 19. Jahrhunderts

Kaiser Franz Joseph sah sich außenpolitisch mit drei Kernproblemen konfrontiert, die das Kaiserreich in unlösbare Schwierigkeiten brachten.

1. Die Deutsche Frage

Trotz der gemeinsamen »Heiligen Allianz« blieb der alte preußisch-österreichische Dualismus, die Frage der Vorherrschaft im Deutschen Bund, zwischen Berlin und Wien ungelöst. Nach 1848 versuchte Preußen ein *engeres Deutschland* zu schaffen, das mit Österreich nur konföderativ in einem *weiteren Deutschland* (Weiterer Deutscher Bund) verbunden werden sollte. Ziel der preußischen Politik war es, das unsichere Vielvölkerreich aus Deutschland hinauszudrängen und damit Wien als Konkurrenten Berlins auszuschalten. Auch sollte der preußischen Dynastie der Hohenzollern die Führungsposition in Deutschland zugesichert werden.

Die deutschen Klein- und Mittelstaaten – Hannover, Sachsen, Bayern, Hessen-Kassel und Württemberg – schwankten je nach diplomatischer Lage zwischen Berlin und Wien. Dem russischen Zaren, dem mächtigen Dritten im Bunde der Heiligen Allianz, fiel dabei oft die Rolle des Schiedsrichters zu. 1850 konnte eine bewaffnete Auseinandersetzung zwischen Österreich und Preußen nur durch massiven Druck Rußlands verhindert werden. Die Situation blieb weiterhin äußerst gespannt.

1863 lud Franz Joseph die deutschen Staaten zu einem Fürstentag nach Frankfurt ein, um die Deutsche Frage nach Wiener Muster zu lösen. In Preußen führte damals bereits *Fürst Bismarck,* ein ausgesprochener Österreich-Gegner, die Politik. Er riet dem preußischen König Wilhelm I., der österreichischen Einladung nicht Folge zu leisten. Wien sollte diplomatisch isoliert werden, was in diesem Falle auch gelang.

Eine gemeinsame preußisch-österreichische Kriegsaktion gegen Dänemark 1864 wegen Thronfolgeunklarheiten (damals erschien die österreichische Kriegsflotte unter Admiral *Tegethoff* vor Helgoland) gab der preußischen Armeeführung die Gelegenheit, die technische Rückständigkeit der österreichischen Armee zu studieren. Holstein geriet nach dem Sieg über Dänemark für ein Jahr unter österreichische Verwaltung. An der Schleswig-Holstein-Frage entzündete sich der schon längst von Bismarck ins Auge gefaßte Krieg um die Vorherrschaft in Deutschland. 1866 schloß der »Eiserne Kanzler« mit dem neuen Königreich Italien ein antiösterreichisches Kriegsbündnis. In dem daraufhin folgenden preußisch-österreichischen Krieg war Österreich eingekreist.

Bayern, Württemberg, Hannover, Hessen-Kassel und Sachsen stellten sich zwar auf die Seite Wiens, konnten jedoch gegen die preußische Militärmacht nichts ausrichten. Zudem hatte Österreich gleichzeitig Krieg gegen Italien zu führen. Hier verliefen die Kämpfe für Österreich erfolgreich (Seeschlacht bei Lissa/Vis). Die völlige Niederlage gegen Preußen bei *Königgrätz* aber besiegelte das Ende der österreichischen Machtstellung in Deutschland.

Österreich schied im Frieden von Prag aus dem Deutschen Bund aus. 1867 wurde der Deutsche Bund daraufhin von Preußen zum *Norddeutschen Bund* umgewandelt. Für Österreich, und damit für die Kaiserdynastie der Habsburger, bedeutete dies, daß letztere an der künftigen Neuordnung Deutschlands nicht mehr beteiligt wurde. Die Gründung des preußisch dominierten Deutschen Kaiserreiches 1870/71 fand ohne irgendwelche österreichische Einflußmöglichkeit statt.

Schlacht bei Königgrätz (3. Juli 1866)

Die Schlacht zwischen Preußen und Österreich wird der nordböhmischen Stadt Königgrätz (Hradec Karlove) zugeschrieben, der genaue Ort der preußisch-österreichischen Schlacht ist jedoch *Sadova.*
Die siegreiche Schlacht der Preußen unter Feldmarschall Moltke über die vereinigten Österreicher und Sachsen unter Feldzeugmeister Benedek legte die Rückständigkeit der österreichischen Armee und die Unfähigkeit der österreichischen Militärverwaltung schlagartig bloß. Während die preußischen Truppen mit Hinterladergewehren ausgerüstet waren, hatten Schlendrian und Korruption im österreichischen Lager die Herstellung und die Beschaffung moderner Waffen verhindert.
Die verlorene Schlacht markiert ein Schicksalsjahr der Habsburgermonarchie: Es bezeichnet den Verlust der Großmachtrolle in Deutschland und Italien und den Aufstieg der preußischen Hohenzollern zur führenden Dynastie in Deutschland.

2. Die Italienische Frage

Nur Kriegsrecht und Militärverwaltung garantierten nach 1849 die österreichische Stellung in der Lombardei und in Venetien. Das italienische Königreich Piemont versuchte mit Rückendeckung Frankreichs die nationalstaatliche Einigung Italiens zu erzwingen.

1859 erlitten die Österreicher empfindliche Niederlagen bei Magenta und Solferino gegen das mit Frankreich verbündete Piemont und 1860 mußte Wien die Lombardei, die Toskana und die habsburgischen Kleinstaaten Modena und Parma an das von Piemont neugebildete *Königreich Italien* abtreten. 1866 folgte, nach der Niederlage bei Königgrätz, der Verlust des Veneto mit Venedig. Damit war 1867 ein einheitlicher italienischer Nationalstaat entstanden.

3. Die Orientalische Frage

Im Südosten der Habsburgermonarchie entstand ein gefährliches Pulverfaß. In unaufhörlichen Kämpfen mit Rußland und wegen unüberwindlicher innerer Schwierigkeiten war das Osmanische Reich zum sprichwörtlichen »Kranken Mann am Bosporus« geworden. Das expansive russische Zarenreich drängte auf den Balkan, zu den strategisch wichtigen Meerengen (Bosporus, Dardanellen), an die Ägäis und an die Adria. Es konnte sich auf dem Balkan im Zuge der *panslawistischen Bewegung* der sprach- und religionsverwandten Serben und Bulgaren bedienen. Trotz großer außenpolitischer Differenzen waren sich England, Frankreich und Österreich darin einig, diese Ausdehnung Rußlands zu verhindern. Sie stützten daher das Osmanische Reich nach Kräften, doch war dessen Untergang nicht mehr aufzuhalten.

Den Kampf der europäischen Großmächte um das Erbe der Osmanen auf dem Balkan nannte man die *Orientalische Frage*. Österreich geriet darin in gefährliche Konfrontation mit dem russischen Vasallenstaat Serbien, der seit 1878 ein von Istanbul unabhängiges Königreich war.

XIV. Das Lateinamerikanische Abenteuer

Wie unrealistisch im 19. Jahrhundert die dynastische Legitimitätsidee vom Haus Habsburg eingeschätzt wurde, zeigen zwei lateinamerikanische Affären.

1. Kaiserreich Brasilien

Seit 1817 war Leopoldine, Tochter Kaiser Franz II., mit dem portugiesischen Thronfolger Pedro vermählt. Pedro wurde 1822, nachdem sich die ehemalige portugiesische Kolonie Brasilien selbständig erklärt hatte, zum brasilianischen Kaiser, Leopoldine zur Kaiserin gekrönt. Die Verbindung hielt aber nur kurze Zeit. Pedro, dem der Kaisertitel zu Kopf gestiegen war, verstieß Leopoldine. 1826 kam sie unter ungeklärten Umständen zu Tode.

2. Kaiserreich Mexiko

Mexiko, das sich 1821 von Spanien gelöst hatte, erklärte sich 1858 zur Republik. Unter dem Präsidenten *Benito Juarez* (1858–1872) wurde der riesige Kirchenbesitz verstaatlicht. Dies führte zu einem Bürgerkrieg, in den die Franzosen eingriffen. Der Habsburger Maximilian (1832–1867), der jüngere Bruder Franz Josephs, erklärte sich auf Betreiben des französischen Kaisers Napoleon III. 1863 bereit, die mexikanische Kaiserkrone anzunehmen. Seine – völlig von Frankreich abhängige – Politik in Mexiko schwankte zwischen liberalen Ideen und der Einführung des Spanischen Hofzeremoniells. Nach einer Interventionsdrohung der USA verließen die französischen Truppen jedoch das Land. Maximilian wurde von den Republikanern unter Führung von Benito Juarez gefangengenommen und 1867 hingerichtet.

XV. Die österreichisch-ungarische Doppelmonarchie (1867–1918)

Die schweren Niederlagen von 1860 und 1866 sowie der Verlust der Vormachtstellung Österreichs in Deutschland und Italien hatten fundamentale innenpolitische Auswirkungen.

1. Der Österreichisch-Ungarische Ausgleich (1867)

Der kaiserstaatliche Zentralismus ließ sich gegen den Widerstand und die Verweigerungshaltung Ungarns nicht mehr aufrechterhalten. Dessen Drang zur Eigenstaatlichkeit war nach 1849 von Wien aus nicht mehr zu steuern. Die Loyalität dieses zweitgrößten Staatsvolks war aber unabdingbar für die weitere Bewahrung der Machtstellung zumindest in Mittel- und Südosteuropa. So schloß Franz Joseph 1867 den *Österreichisch-Ungarischen Ausgleich.* Die Eigenstaatlichkeit Ungarns im Rahmen der gemeinsamen Habsburgerdynastie wurde anerkannt. Der Ausgleich stellte die innere Souveränität des Stefansreiches wieder her. Beide Monarchien, Österreich und Ungarn, blieben durch das gemeinsame Herrscherhaus in *Personal- und Realunion* verbunden. Der Kaiser vereinigte auf sich neben der österreichischen Kaiserkrone auch die ungarische Königskrone. Das Habsburgerreich bildete damit eine *Doppelmonarchie.* Die Außen- und Kriegspolitik, das Heer und die Finanzen wurden gemeinsamen Ressorts unterstellt und nach einem bestimmten Verteilungsschlüssel aufgeteilt. Innenpolitisch aber gingen beide Reiche ab 1867 mit eigenen Parlamenten und Regierungen verschiedene Wege (österreichisch-ungarischer *Dualismus*). Verwaltungsmäßig wurde das Gesamtreich in *Trans- und Cisleithanien* geteilt.

Transleithanien, Cisleithanien

Das Habsburgerreich bildeten zwei getrennte Verwaltungseinheiten, die nach dem Grenzfluß Leitha im Burgenland Trans-(jenseits der Leitha) und Cis-(diesseits der Leitha)leithanien genannt wurden. Cisleithanien umfaßte Österreich, Böhmen, Galizien, die Bukowina und Dalmatien. Diese Länder waren im Wiener Reichsrat vertreten. Transleithanien bestand im wesentlichen aus dem ungarischen Stefansreich einschließlich Kroatien, der Slowakei, Siebenbürgen und dem Banat. Fiume (Rijeka) wurde ab 1867 Ungarn als Adriahafen zugeteilt.

Das national auseinanderstrebende k.u.k. Reich wurde durch das Heer und die Bürokratie, in erster Linie aber durch die Person des gemeinsamen Herrschers, zusammengehalten.

Der österreichische Reichsteil entwickelte sich ab 1867 vom alten Obrigkeitsstaat zu einem bürgerlichen *Rechtsstaat,* in dem man Menschen- und Bürgerrechte und die

K. k. und k. u. k.

Österreichische Ämter nannten sich *k. k.* (kaiserlich-königlich) und waren nur für Cisleithanien zuständig. Ungarische Ämter nannten sich *m. k.* (magyarisch-königlich) und hatten nur in Transleithanien Verfügungsgewalt. Lediglich die gemeinsamen Behörden, z. B. das Außenministerium, trugen den Namen *k. u. k.* (kaiserlich *und* königlich, d. h. kaiserlich-österreichisch *und* königlich-ungarisch).
Für den Gesamtstaat bürgerte sich der Name *k.u.k. Monarchie* ein.

Gleichheit vor dem Gesetz pflichtgemäß respektierte. Eine moderne Gesellschaft bildete sich heraus. Wissenschaft, Kultur und Kunst erlebten einen signifikanten Aufstieg.

Für Ungarn bedeutete die Abkoppelung von Wien nach 1867 einen schweren gesellschaftlichen Rückschritt. In Budapest herrschte weiterhin der feudale Großadel. Eine aggressive *Magyarisierungspolitik* gegenüber Slowaken, Kroaten, Rumänen und Deutschen machte das Stefansreich zum sprichwörtlichen *Völkerkerker* der Monarchie. Den Habsburgern in Wien war die Unterdrückung der nationalen Minderheiten in Ungarn durchaus bewußt. Rechtliche Eingriffsmöglichkeiten fehlten aber, da die Nationalitätenpolitik innere Angelegenheit Ungarns war und nicht in die Kompetenz der k.u.k. Behörden fiel.

Während des Ersten Weltkriegs wurde der Begriff »Völkerkerker« als propagandistischer Kampfbegriff auf die Gesamtmonarchie ausgedehnt.

2. Das Nationalitätenproblem

In beiden Reichsteilen eskalierte im letzten Drittel des 19. Jahrhunderts das Nationalitätenproblem zur Überlebensfrage. In Österreich (Cisleithanien) stieß der Ausgleich von 1867 auf schärfste Ablehnung der slawischen Bevölkerung (Tschechen, Polen, Kroaten, Dalmatiner), da er die Ungarn unverhältnismäßig begünstigte. Im Gegenzug forderten die slawischen Nationen einen auch für sie geltenden Ausgleich und die Umwandlung des österreichisch-ungarischen *Dualismus* (Zweiheit) in einen österreichisch-ungarisch-slawischen *Trialismus* (Dreiheit).

Dieses Konzept stieß auf den erbitterten Widerstand der Ungarn, die dadurch ihre Sonderrolle verloren hätten. Von Wien aus wurde die Trialismusidee nur als Druckmittel gegen weitere Selbständigkeitsbestrebungen Buda-

Trialismus

Das Trialismus-Modell sah die Teilung der Monarchie in einen deutschen, einen ungarischen und einen slawischen Reichsteil vor. Auch für die Slawen war eine weitgehende Autonomie geplant. Durch das gemeinsame Band der Habsburgerdynastie sollte dieser »Drei-Staat« außenpolitisch repräsentiert werden.

pests genutzt, aber niemals ernsthaft verfolgt. Erst der eigenwillige Thronfolger Franz Ferdinand beschäftigte sich kurz vor dem Ersten Weltkrieg wieder mit dem Gedanken eines dreiteiligen Bundesstaates unter der Habsburgerkrone. Die weitere Entwicklung der k.u.k. Monarchie zu einem Staatenbund, der die nationalistische Radikalisierung vielleicht hätte verhindern können, wurde jedoch nicht vorangetrieben. Wien beschränkte sich auf zähes Aussitzen der Probleme und auf kleine Zuge-

Insgesamt gab es acht Völker, die Anspruch auf nationale Autonomie erhoben (um 1880):

Ungarn	10 100 000 = 20,2%
Tschechen und Slowaken	8 500 000 = 16,4%
Polen	5 000 000 = 10,0%
Ruthenen (Ukrainer)	4 000 000 = 7,9%
Südslawen (Serben, Kroaten)	5 200 000 = 10,3%
Rumänen	3 200 000 = 6,4%
Slowenen	1 300 000 = 2,6%
Italiener	1 000 000 = 2,0%
Deutsche	12 000 000 = 23,9%
Gesamt	50 300 000 = 99,7%

ständnisse an die Autonomie der einzelnen Länder. Besonders in Böhmen führte dies zu Auseinandersetzungen zwischen den Tschechen und den Deutschen. Diese Hinhaltepolitik wurde typisch für die Behandlung der habsburgischen Nationalitätenfrage. Sie wurde auch *Politik des Fortwurstelns* genannt.

Bezeichnend für die sozialen und nationalen Konflikte dieser Zeit war aber, daß die klassen- und nationenübergreifende Stellung der Habsburgermonarchie bis 1916 von den Konfliktparteien selbst niemals in Zweifel gezogen wurde.

XVI. Die Hauspolitik der Habsburger (1867–1918)

Die zweite Hälfte des 19. und das erste Jahrzehnt des 20. Jahrhunderts gelten als *franzisko-josephinische Ära.* Sie umfaßt drei Generationen.

Kaiser Franz Joseph I. (1848–1916)

Franz Joseph wurde 1830 als Enkel Kaiser Franz I. und Sohn Erzherzog Franz Karls und Sophies von Bayern-Wittelsbach geboren. Der Vater (Bruder Ferdinands des Gütigen) galt als »minderbegabt«. Große Intelligenz und Energie zeigte dagegen die Mutter Sophie. Im ersten Drittel seiner Regierungszeit war der junge Kaiser höchst unpopulär. Sein übersteigertes Herrschergefühl und seine reaktionäre und neoabsolutistische Politik wurde dem übermächtigen Einfluß seiner autoritären Mutter zugeschrieben. Geläutert durch die tiefen Rückschläge in Deutschland und Italien akzeptierte der gereifte Kaiser jedoch ab 1867 vorbehaltlos die Liberalisierung des Staatswesens und seine Rolle als *konstitutioneller Monarch.* Außenpolitisch leitete er eine Friedensperiode ein. Fortschrittliche Bildungs- und Pressegesetze, Wahlrechtsreformen und eine Arbeiterschutzgesetzgebung (dies alles aber nur in Cisleithanien) sicherten ihm klassenübergreifende Zustimmung. Mit dem *allgemeinen und gleichen Wahlrecht* 1907 erfüllte er eine der Hauptforderungen der beiden großen demokratischen Parteien Österreichs, der Sozialdemokraten und der Christlich-Sozialen. Unbeweglich blieb er in der Nationalitätenpolitik, in der er an dem übernationalen Mythos der Habsburgerkrone festhielt.

Kaiserin Elisabeth (»Sisi«)
(1837–1898)

Die Gemahlin Franz Josephs, ab 1854 Kaiserin, stammte aus dem bayerischen Herzogshaus. Die unkonventionell und mit großer Bildungsbereitschaft aufgewachsene »Sisi« (nicht »Sissy«) fühlte sich nach der Heirat mit dem engstirnigen Franz Joseph am streng reglementierten Wiener Hof unglücklich. Sie verließ 1859–1861 zum ersten Mal ihre Familie und reiste nach Madeira, Venedig und Korfu. Sie vernachlässigte bewußt ihre kaiserlichen Pflichten und setzte für ihren Sohn Rudolf (1852–1889) eine bürgerlich-liberale Erziehung durch. Aus ihrer Verachtung für die Monarchie (»eine Ruine«) machte sie kein Hehl. Nach der Tragödie von Mayerling, dem Selbstmord Rudolfs 1889, verfiel sie in tiefe Depression und zog sich völlig zurück. 1898 wurde sie in Genf von einem geistesverwirrten angeblichen Anarchisten erstochen. Ihr Grab befindet sich in der Kapuzinergruft in Wien.

Kronprinz Rudolf (1858–1889) war der einzige Sohn Kaiser Franz Josephs und seiner Gemahlin Elisabeth. Der begabte Thronfolger geriet ständig in schweren Konflikt mit dem konservativen Wiener Hof. Ein naturwissenschaftliches Studium blieb dem hochintelligenten jungen Mann auf Weisung des Kaisers verwehrt. Unter Pseudonym veröffentlichte er liberale und antiklerikale Zeitungsartikel, ferner sprach er sich gegen die Annäherung an das Deutsche Reich unter Wilhelm II. aus. Bei Hofe wurde er zur ›persona non grata‹.

Die erzwungene standesgemäße Heirat mit einer belgischen Prinzessin entwickelte sich zur Tragödie. 1889 beging er zusammen mit einer seiner Liebschaften, der

Erzherzog Franz Ferdinand (1863–1914)

Der in streng katholischem und konservativem Milieu aufgewachsene Erzherzog schlug die übliche Militärlaufbahn ein. 1900 heiratete er entgegen dem Habsburger Familienstatut die »unstandesgemäße« böhmische Gräfin *Sophie Chotek* und bewies damit einige Eigenständigkeit. Für die Nachkommen aus dieser Ehe mußte Franz Ferdinand daher auf alle Thronfolgerechte verzichten. Trotz reaktionärer politischer Grundhaltung bewies er große Einsicht in der Nationalitätenfrage. Er sah die Zukunft der k.u.k. Monarchie in einer *bundesstaatlichen Ordnung,* die auch den Südslawen große Autonomie geboten hätte. Dadurch geriet er in Konkurrenz zur »groß-serbischen Idee« Belgrads. Das *Attentat von Sarajevo* war die Folge.

17jährigen Baronesse *Mary Vetsera,* im *Jagdschloß Mayerling* Selbstmord.
Die dynastische Stellung des Hauses Habsburg wurde durch mehrere *Familienskandale* schwer in Mitleidenschaft gezogen. Nur die ab 1867 unerschütterliche Autorität des Familienoberhaupts Franz Joseph sicherte der Monarchie ihre gesellschafts- und nationenübergreifende einigende Kraft.

Erzherzog Franz Ferdinand, der Neffe Kaiser Franz Josephs, galt nach dem Selbstmord Kronprinz Rudolfs 1889 als der habsburgische Thronfolger.

XVII. Der Weg in den Großen Krieg (1878–1914)

Außenpolitisch geriet die k.u.k. Monarchie in die Isolation. Der Hauptgegner auf dem Balkan war Rußland , die Beziehungen zu Italien und Frankreich blieben unsicher. Die Bindung an das Deutsche Kaiserreich war die zwangsläufige Folge. An wirtschaftlicher Kraft, innerer Stabilität und nationalem Selbstbewußtsein hatte das Deutsche Reich Österreich-Ungarn bald weit hinter sich gelassen. Die militärische, ökonomische und letztlich diplomatische Abhängigkeit des Habsburgerreiches vom auftrumpfenden Hohenzollernreich wurde in den politischen Krisen der Jahrhundertwende deutlich. Wien galt als »Juniorpartner« Berlins.

1. Die Balkankrisen

In der *Orientalischen Frage* kamen sich die Großmachtinteressen Österreich-Ungarns und Rußlands in Südosteuropa gefährlich in die Quere. Der Balkan war einerseits das *Pulverfaß Europas,* andererseits das Schachbrett der Großmachtdiplomatie. Wien versuchte, seine Verluste in Italien und Deutschland durch Einfluß in Südosteuropa zu kompensieren. Der rapide Machtschwund des Osmanischen Reiches, mit dem Wien de facto verbündet war, bewirkte 1878 die Gründung zweier russisch-bestimmter Balkanstaaten – Bulgarien und Montenegro – und einen erheblichen Machtzuwachs für das eng an Rußland angelehnte Königreich Serbien. Um dem Drängen Serbiens (und damit Rußlands) zum Mittelmeer einen Riegel vorzuschieben, besetzte Österreich-Ungarn in zwei Etappen, 1878 und 1908, das bis dahin türkisch-osmanische Bosnien-Herzegowina. Bosnien mit seiner Hauptstadt Sarajevo und die Herzegowina mit ihrer Hauptstadt Mostar

Nibelungentreue

Der deutsche Reichskanzler von Bülow prägte während der Bosnischen Krise 1908 den Begriff der »Nibelungentreue«, um die Bündnistreue Berlins zu Wien gegenüber dem russischen Zarenreich zu bekräftigen. 1879 hatte Österreich-Ungarn mit dem Deutschen Reich den *Zweibund* geschlossen, der eindeutig gegen Rußland gerichtet war. Die Erweiterung zum *Dreibund* 1882 mit Italien wurde nicht weiter ernstgenommen. Dagegen erwies sich das deutsch-österreichische *Bündnis mit dem Türkischen Reich* bis zum Ende des Ersten Weltkriegs als stabil.

waren der letzte territoriale Zuwachs der k.u.k. Monarchie. Um die völkerrechtliche Stellung zu wahren, erhielt die Türkei eine umfangreiche Entschädigung. Als Kompensation für die Annexion Bosniens 1908 hatte Wien Rußland die Öffnung der Dardanellen-Meerenge für die russische Flotte zugesagt – ein Versprechen, das die österreichisch-ungarische Diplomatie niemals einhalten konnte. So kam es zur *Bosnischen Annexionskrise* von 1908. Rußland, das sich schwer getäuscht fühlte, mußte vor dem österreichisch-deutschen *Zweibund* zurückstecken. In Berlin kam damals das Schlagwort von der *deutsch-österreichischen Nibelungentreue* auf.

2. Der Erste Weltkrieg (1914–1918)

Die Balkankrise im Juli 1914 nach dem *Attentat von Sarajevo* konnte von den Großmächten weder diplomatisch gelöst noch regional isoliert werden. Kaiser Franz Joseph sprach sich in Übereinstimmung mit dem Kriegsministerium für einen begrenzten Krieg (*Präventivschlag*) gegen Serbien aus.

Das Attentat von Sarajevo (28. Juni 1914)

Bosnien, das seit 500 Jahren unter türkischer Herrschaft stand, war als Hinterland des habsburgischen Dalmatien und als Zugang zur Adria für die k.u.k. Monarchie von hoher strategischer Bedeutung. Ende des 19. Jahrhunderts konnte es von der schwindenden Macht der Osmanen nicht mehr gehalten werden. Weil 40 Prozent der Bevölkerung aus Serben bestand, wurde Bosnien auch vom Königreich Serbien beansprucht. Nach der Annexion Bosnien-Herzegowinas durch Österreich-Ungarn 1908 (mit Duldung und gegen Entschädigung des Osmanischen Reiches) radikalisierte sich die groß-serbische antiösterreichische Propaganda von seiten Belgrads. Teils mit Rückendeckung der serbischen Regierung (und damit Rußlands), aber auch auf eigene Faust bildeten sich nationalistische serbische Untergrundgesellschaften und Geheimarmeen, die in Bosnien für den Anschluß an Serbien agitierten.
Der Thronfolger Franz Ferdinand galt als Freund der k.u.k. Slawen und als Verfechter des Trialismus-Konzepts. Wäre dieses Staatskonzept verwirklicht worden, hätte der Balkanstaat Serbien gegenüber einem hochentwickelten k.u.k. (süd-)slawischen Staat völlig an Bedeutung und an Anziehungskraft verloren. Franz Ferdinand stand daher auf der Attentatsliste der bosnisch-serbischen Verschwörer ganz oben.
Das Attentat, vor dem Wien aus geheimen Quellen in Belgrad gewarnt worden war, ereignete sich infolge einer Verkettung unglücklicher Umstände. Die Manöverinspektion des Thronfolgers fand ausgerechnet am serbischen Volkstrauer- und Nationalfeiertag (28. Juni, St. Veitstag, Jahrestag der serbischen

Niederlage gegen die Osmanen 1389) statt. Dies war auch für gemäßigte serbische Kreise in Bosnien eine schwerwiegende Provokation. Während des Besuchs in Sarajevo setzte das Thronfolgerpaar trotz eines ersten fehlgeschlagenen Anschlagversuchs seine Fahrt im offenen Wagen fort. Alle Vorhaltungen und Bitten der Polizeiführung waren vergeblich. Kurz darauf fiel das Erzherzogspaar den Schüssen des 18jährigen Serben Gavrilo Princip zum Opfer. Der Schuß, der dem vor Franz Ferdinand sitzenden k.u.k. Gouverneur Bosniens zugedacht war, traf die Erzherzogin Sophie.
Princip war aber nur das »ausführende Organ«. Die Hintermänner gehörten hohen Offizierskreisen in Belgrad an. Die serbische Regierung wurde von ihnen vermutlich mit der Drohung eines Militärputsches zur Mittäterschaft erpreßt. Der Attentäter selbst wurde von der k.u.k. Justiz 1917 zur höchsten Jugendstrafe verurteilt und starb noch im gleichen Jahr an Tbc.
Die von den groß-serbischen Nationalisten beabsichtigte Provokation gelang: Österreich-Ungarn ließ sich in einen Krieg ziehen, an dessen Ende allerdings sein Untergang stand.

Nach der Kriegserklärung Wiens an Belgrad im Juli 1914 kamen die *Bündnisverpflichtungen der Großmächte* in Gang. Rußland erklärte Österreich-Ungarn und das Deutsche Reich daraufhin Rußland, Frankreich und England den Krieg.

XVIII. Das Ende der habsburgischen Monarchie (1914–1918)

Die trotz aller k.u.k. Siege letztlich aussichtslose militärische Lage brachte die Monarchie 1916 in schwere Bedrängnis.

In den ersten Kriegsjahren war die Zerschlagung Österreich-Ungarns keineswegs das Hauptkriegsziel der Westalliierten Frankreich und England. In Verhandlungen um *Sonderfrieden* wurde den Habsburgern sowohl die Erhaltung des Gesamtstaates wie der Monarchie zugesagt. Deutsche Intervention und antihabsburgische deutschnationale Kreise machten diese Geheimverhandlungen jedoch zunichte. Erst gegen Ende des Krieges, als man die Abhängigkeit der österreichischen Militärführung von der deutschen Heersleitung erkannt hatte, einigten sich Washington, London und Paris endgültig auf die staatliche Auflösung des Habsburgerreiches und auf die Abschaffung der Monarchie. Punkt zehn der *14 Punkte des amerikanischen Präsidenten Wilson* sah die »Selbstbestimmung der Völker Österreich-Ungarns« als Friedensbedingung vor.

Mitten im Krieg, 1916, starb Kaiser Franz Joseph nach 70jähriger Regierungszeit. Sein 29jähriger Großneffe, Kaiser Karl I., konnte diese Lücke nicht ausfüllen.

Mit Franz Joseph trat für große Teile der k.u.k. Monarchie eine übernationale Institution und ein einigendes Herrschaftssymbol von der politischen Bühne ab. Weite Kreise der Bevölkerung, welcher Nationalität auch immer, hatten sich mit dem alten Kaiser identifizieren können. Sein Ableben wurde gleichsam als das Ende der österreichisch-ungarischen Monarchie empfunden. Der Zerfall der k.u.k. Administration, besonders des Heeres wurde ab 1916 akut. Die nationalen Forderungen der Tschechen und Südslawen (Kroaten, Slowenen, Dalmatiner) wurden immer drängender. Gemäßigte Kreise hielten dabei durchaus am »allumfassenden Szepter der Habsburgerdynastie« fest. Die radikalen Nationalisten jedoch, die sich den Alliierten willfährig als »fünfte Kolonne« anboten, propagierten nationale Einhcitsstaaten als Nachfolge der Gesamtmonarchie.

Als Zugeständnis an Präsident Wilsons 14 Punkte erließ Kaiser Karl in aussichtsloser Lage am 16. Oktober 1918 das *Völkermanifest,* in dem die Umwandlung der Monarchie (zunächst nur Cisleithaniens) in einen demokratisch fundierten Bundesstaat Österreich angekündigt wurde. Das von den Alliierten und von den tschechischen und südslawischen Exilpolitikern geforderte »Selbstbestimmungsrecht der Völker« sollte voll zur Anwendung kommen. Das Manifest stieß jedoch auf keine Resonanz mehr.

Am 11. November 1918 trat Karl als österreichischer Kaiser zurück (zwei Tage nach Wilhelm II.), d. h., er »verzichtete auf jeden Anteil an den Staatsgeschäften«. Am 13. November unterzeichnete er in seiner Eigenschaft als König von Ungarn eine ähnliche Erklärung. Ein ausdrücklicher Verzicht auf die beiden Throne war darin jedoch nicht enthalten.

1. Die Nachfolgestaaten

Ende 1918 löste sich die k.u.k. Monarchie durch die Proklamation ihrer verschiedenen Nationalitäten als selbständige Staaten auf.

Aus den deutschsprachigen Kernländern im Alpenraum bildete sich die *Republik Österreich* mit der Hauptstadt Wien. Aufgrund des mit den Siegermächten des Ersten Weltkriegs geschlossenen *Friedens von St. Germain* am 10. September 1919 wurde der Name »Deutsch-Österreich« und der Anschluß an Deutschland ausdrücklich untersagt.

Auf dem Boden der Doppelmonarchie entstanden folgende von den Siegern anerkannte *Nachfolgestaaten:*

- *Tschechoslowakei* (CSR). Staatsform: Republik
- *Ungarn.* Staatsform unklar, formell wurde die Monarchie nicht abgeschafft (»Königreich mit vakantem Thron«)
- *Königreich der Serben, Kroaten und Slowenen* (ab 1929 »Jugoslawien«)

In gewisser Hinsicht können auch das Königreich *Rumänien* und die Republik *Polen* zu den Nachfolgestaaten gezählt werden. Rumänien vergrößerte sich um das ungarische Siebenbürgen, Polen erhielt das ehemals österreichische Galizien.

In allen Nachfolgestaaten setzte sich das Nationalitätenproblem bruchlos bis zum heutigen Tag fort. Die Grenzziehung der Siegermächte des Ersten Weltkriegs verschäfte die gegenseitigen Spannungen noch zusätzlich. Statt des einen großen wurden nun viele *kleine Vielvölkerstaaten* geschaffen. Dies hat Mittel- und Südosteuropa förmlich zum Alptraum für die europäische Diplomatie werden lassen. Dagegen darf heute das übernationale Habsburgerreich als ein erster Versuch einer europäischen Einigung gewertet werden.

Keiner der Nachfolgestaaten hat das zivilisatorische Niveau und den Status an Rechtsstaatlichkeit erreicht, die in der k.u.k. Monarchie um die Jahrhundertwende herrschten.

2. Die Habsburger nach der Abschaffung der Monarchie

Am 3. April 1919 beschloß das Parlament der neuen Republik Österreich das *Habsburgergesetz.*

Das Haus Habsburg reagierte auf dieses Gesetz uneinheitlich. Das alte Familienstatut von 1839 wurde nicht

Habsburgergesetz

Das Habsburgergesetz bestimmte, daß diejenigen »Angehörigen des Hauses Habsburg-Lothringen« des Landes verwiesen werden sollten, »die nicht bereit waren, auf ihre Herrschaftsansprüche, Souveränitätsrechte und Titel zu verzichten«.

mehr beachtet. Ein Teil der Familie bekannte sich als treue Staatsbürger der neuen Republik und blieb im Lande, ein Teil verließ Österreich. Der abgedankte Kaiser Karl verweigerte einen förmlichen Thronverzicht und ging ins Schweizer Exil. Von dort aus unternahm er 1921 zwei vergebliche Versuche, nach Ungarn zurückzukehren. Die Monarchie blieb in Ungarn zwar bestehen (bis 1944 unter einem Reichsverweser), die Habsburger wurden jedoch endgültig als ungarische Könige abgesetzt. Karl starb 1922 in der Verbannung auf Madeira. Seine Witwe Zita (1892–1989) hielt die Thronansprüche lebenslang aufrecht.

In den frühen dreißiger Jahren wuchs die monarchistische Bewegung der *Legitimisten* in Österreich stark an. Karls Sohn Otto (geb. 1912) konnte sich berechtigte Hoffnungen auf eine Restauration der Monarchie machen und erreichte 1935 die Aufhebung des Habsburgergesetzes. Dies wurde auch von demokratischer und bürgerlicher Seite unterstützt, da man in der Monarchie das einzige Bollwerk gegen den Nationalsozialismus sah. Der *Anschluß Österreichs* an das Dritte Reich 1938 machte alle Hoffnungen zunichte. Hitler setzte das Habsburgergesetz sofort wieder in Kraft und ließ die Legitimisten verfolgen. Otto floh vor den Nationalsozialisten in die USA, wo er sich bis 1944 aufhielt.

Auch die Nachkriegsregierungen Österreichs hielten an dem Habsburgergesetz fest. Es wurde im *Österreichi-*

schen Staatsvertrag von 1955 bekräftigt. Obwohl Otto 1961 eine Verzichtserklärung auf seine persönlichen Thronrechte leistete, konnte er aber erst nach längeren Rechtsstreitigkeiten (*Habsburg-Krise*) 1966 wieder österreichischen Boden betreten.

Das Haus Habsburg ist heute eng mit einer gesamteuropäischen politischen Bewegung, der *Paneuropa-Union*, verbunden. Der Chef des Hauses, Otto von Habsburg, ist Abgeordneter des Europaparlaments und politischer Publizist.

XIX. Anhang

Kronen und Titel

Mit dem jeweiligen Ländererwerb wurde der Herrschaftstitel des betreffenden Landes in den Gesamttitel der Habsburger eingefügt. Ebenso verfuhr man mit dem Wappen verfahren, das man in den Gesamt-Wappenschild mit einbezog.

Mit Übernahme verschiedener Königreiche gelangten auch deren Kronen in habsburgischen Besitz. Die Habsburger vereinigten mehrere Kronen auf sich:

- Die *Kaiserkrone* des Römisch-Deutschen Reiches (»Ottonische Reichskrone«) bis 1806.
- Die habsburgische *Hauskrone*. Sie galt für die Erblande, ab 1806 auch als österreichische Kaiserkrone. Die Hauskrone wurde erst Ende des 16. Jahrhunderts auf Veranlassung Rudolfs II. angefertigt (»Rudolfskrone«).
- Die *Stephanskrone* des Apostolischen Königreichs Ungarn mit dem charakteristischen schiefen Kreuz, ab 1526 in habsburgischem Besitz.
- Die *Wenzelskrone* des Königreichs Böhmen, die ebenfalls ab 1526 den Habsburgern zugefallen war.
- Die *Eiserne Krone* der Lombardei (Alboinskrone), von 1815 bis 1859 beim Haus Habsburg.

Der Gesamttitel Kaiser Franz Josephs für die k.u.k. österreichisch-ungarische Doppelmonarchie lautete: Franz Joseph I. von Gottes Gnaden Kaiser von Österreich, König von Ungarn und Böhmen, von Dalmatien, Croatien, Slavonien, Galicien, Lodomerien und Illyrien, König von Jerusalem etc., Erzherzog von Österreich, Großherzog von Toskana und Krakau, Herzog von Lothringen, von Salzburg, Steyer, Kärnthen, Krain und der Bukowina, Großfürst von Siebenbürgen; Markgraf von Mähren; Herzog von Ober- und Niederschlesien, von Modena, Parma, Piacenza und Quastalla, von Auschwitz und Zator, von Teschen, Friaul, Ragusa und Zara; gefürsteter Graf von Habsburg und Tirol, Kyburg, Görz und Gradiska, Fürst von Trient und Brixen, Markgraf von Ober- und Niederlausitz und in Istrien, Graf von Hohenems, Feldkirch, Bregenz, Sonnenberg etc., Herr von Triest, von Cattaro und auf der Windischen Mark, Großwojwode der Wojwodschaft Serbien etc. etc.

Hoch- und Deutschmeister

Hoch- und Deutschmeister war der Titel des Großmeisters des 1197 gegründeten Deutschen Ritterordens. 1525 wurde der Deutsch-Ordensstaat in Preußen in ein protestantisches Herzogtum umgewandelt. Der katholisch verbliebene Zweig des Deutschen Ordens lebte in Süddeutschland, im Rheinland und in Österreich weiter.

Der Hoch- und Deutschmeistertitel blieb ab Ende des 16. Jahrhunderts im Hause Habsburg erblich. Besonders jüngere Söhne des Hauses, die Erzherzöge waren, wurden mit diesem Titel bedacht, der eine gezielte geistliche Einfluß-(»Bistums«-)politik im Reich möglich machte. Der letzte habsburgische Hoch- und Deutschmeister war Erzherzog Eugen. Er verzichtete 1923 auf dieses höchste Ordensamt. 1929 wurde der Ritterorden in einen rein geistlichen Orden umgewandelt.

»Hoch- und Deutschmeister« war auch der volkstümliche Name des 1695 gegründeten Wiener Infanterieregiments, das immer der jeweilige habsburgische Hochmeister des Deutschen Ordens befehligte.

Grabstätten der Habsburger

Innsbruck: Die Hofkirche enthält das Grabmal Kaiser Maximilians I. als größtes Kaisergrabdenkmal im deutschen Raum. Es besteht aus 28 überlebensgroßen Bronzefiguren habsburgischer Ahnen, von Peter Vischer (1507–1566) in Bronze gegossen. Als letzte Statue stellte man 1562 den knienden Maximilian auf. Geplant waren allerdings 40 Figuren. Maximilian wurde jedoch nicht hier, sondern in der Burgkapelle von *Wiener Neustadt* beigesetzt.

Wien: In der Kapuzinerkirche (Neuer Markt) befindet sich die Kaisergruft (*Kapuzinergruft*). Hier ist von Kaiser Matthias (gest. 1633) bis Kaiser Franz Joseph (gest. 1916) der weitaus größte Teil der Habsburger und ihrer Familienangehörigen bestattet: Insgesamt sind hier 145 Prunksärge mit 12 Kaiser- und 17 Kaiserinnensarkophagen zu sehen.

Das Grab des letzten Kaisers, Karl, befindet sich an seinem Verbannungsort *Funchal* auf Madeira. Seine Witwe Zita hingegen wurde 1989 wieder in der Kapuzinergruft beigesetzt.

Bis Mitte des 19. Jahrhunderts bestattete man die Habsburger getrennt. Die Herzen wurden in der Herzgruft der *Augustinerkirche*, die Eingeweide in einer Gruft unter dem *Stefansdom* beigesetzt. Diese Art der Mehrfachbestattung war in allen katholischen

Herrscherdynastien üblich. So konnte königliche Ehrbezeugung gleichzeitig an mehrere Orte vergeben werden.

Madrid: Die spanischen Habsburger liegen im *Kloster San Lorenzo de El Escorial* begraben. Die Klosterkirche wurde unter Philipp II. von 1563–1584 erbaut. Im »Pantheon« befindet sich die Grabstätte der spanisch-habsburgischen Könige seit Kaiser Karl V., getrennt nach Königen und fruchtbaren Königinnen. Im Pantheon der Infanten sind die unfruchtbaren Königinnen und die Prinzen (Infanten) beigesetzt, darunter Don Carlos und Don Juan d'Austria.

Zeittafel

Um 950	Guntram der Reiche. Erster urkundlich bekannter Habsburger
976–1246	Die Babenberger als Markgrafen von Österreich
Um 1100	Bau der »Habichtsburg« im Aargau (Schweiz)
1156	Privilegium minus: Österreich wird Herzogtum
1254–1273	Interregnum
1273–1291	König Rudolf I. von Habsburg
1278	Schlacht auf dem Marchfeld gegen Ottokar von Böhmen
1308	König Albrecht I. von Habsburg von Johann Parricida ermordet
1308–1437	Dynastie der Luxemburger
1322	Schlacht bei Mühldorf
1338	Kurverein von Rhense: König- und Kaiserwahl ohne Papst
1356	Goldene Bulle: »Grundgesetz« des Reiches
1358/59	Privilegium maius: Österreich wird Erzherzogtum
1365	Gründung der Universität Wien durch Erzherzog Rudolf den Stifter
1438–1439	König Albrecht II.
1440–1493	Kaiser Friedrich III.: AEIOU (»Alles Erdreich ist Österreich untertan«)
1469	Die Königreiche Kastilien und Aragon vereinigen sich zu Spanien
1476/77	Entscheidende Siege der Schweizer »Helvetischen Föderation« gegen Habsburg und Burgund
1477	Burgundische Heirat

1493–1519	Kaiser Maximilian I.
1496	Spanische Heirat
1516/1521	Jagiellonische Heiraten
1519–1556	Kaiser Karl V.
1520	Luther verweigert den Widerruf auf dem Reichstag von Worms
1521	Cortez erobert Mexiko für Habsburg-Spanien
1525	Schlacht von Pavia gegen Franz I. von Frankreich
1526–1529	Die Osmanen erobern Ungarn
1529	Erste Belagerung Wiens durch die Osmanen
1529	»Damenfriede« von Cambrai mit Franz I.
1533	Pizarro erobert Peru für Habsburg-Spanien
1547	Sieg Karls V. über den Schmalkaldischen Bund bei Mühlberg/Elbe
1555	Augsburger Religionsfriede
1556–1564	Kaiser Ferdinand I.
1556	Abdankung Karls V.
1556–1598	König Philipp II. von Spanien
1564–1576	Kaiser Maximilian II.
1566–1581	Befreiungskampf der Niederlande von Spanien
1571	Seesieg bei Lepanto über die Osmanen
1576–1612	Kaiser Rudolf II., Prag wird Reichszentrum
1588	Untergang der spanischen Armada vor England
1606–1612	Bruderzwist im Hause Habsburg: Rudolf II. gegen Matthias
1608	Gründung der protestantischen Union
1609	Majestätsbrief für Böhmen
1609	Gründung der katholischen Liga
1612–1619	Kaiser Matthias
1618–1648	Dreißigjähriger Krieg
1619–1637	Kaiser Ferdinand II.
1620	Schlacht am Weißen Berg vor Prag, Böhmen wird habsburgisches Erbland
1637–1657	Kaiser Ferdinand III.
1648	Westfälischer Friede von Münster und Osnabrück: Landesherren werden souverän
1658–1705	Kaiser Leopold I.
1683	Zweite Belagerung Wiens durch die Osmanen (Türken). Sieg am Kahlenberg
1684–1699	Der »Große Türkenkrieg«
1686	Eroberung von Buda
1699	Friede von Karlowitz. Prinz Eugen. Ungarn und Siebenbürgen werden habsburgisch. Österreich wird zur Donaumonarchie

1701	Preußen erklärt sich unter den Hohenzollern zum Königreich
1701–1714	Spanischer Erbfolgekrieg mit Ludwig XIV. von Frankreich
1705–1711	Kaiser Joseph I.
1711–1740	Kaiser Karl VI., größte Ausdehnung des Habsburgerreiches (Haus Österreich)
1713	Pragmatische Sanktion. Frieden von Utrecht: Spanien wird bourbonisch, Belgien österreichisch
1733–1738	Polnischer Thronfolgekrieg
1736	Heirat Maria Theresias mit Franz Stephan von Lothringen: Beginn des Hauses Habsburg-Lothringen
1738	Friede von Wien: Ländertausch Lothringen-Toskana
1740–1780	Maria Theresia
1740–1786	Friedrich II. von Preußen (der »Alte Fritz«)
1740–1742	Erster Schlesischer Krieg mit Friedrich II. von Preußen
1741–1780	Österreichischer Erbfolgekrieg
1742–1745	Karl VII. Albrecht von Wittelsbach als Kaiser
1744–1745	Zweiter Schlesischer Krieg. Verlust Schlesiens
1745–1765	Kaiser Franz I. Stephan
1756	Reversement des Alliances. Österreichisch-französisches Bündnis gegen Preußen
1756–1763	Siebenjähriger Krieg mit Preußen
1763	Friede von Hubertusburg: Status quo
1772/1793/1795	Polnische Teilungen zwischen Rußland, Preußen und Österreich
1776	Aufhebung der Leibeigenschaft
1780–1790	Kaiser Joseph II. (Reformkaiser)
1781	Toleranzedikt
1790–1792	Kaiser Leopold II.
1792–1805	Koalitionskriege gegen das revolutionäre Frankreich
1792–1806	Kaiser Franz II.
1797	Friede von Campoformio: Venedig und Dalmatien werden österreichisch
1804	Kaisertitel für Österreich
1806	Napoleon gründet den Rheinbund. Ende des Heiligen Römischen Reiches Deutscher Nation
1806	Niederlegung der römisch-deutschen Kaiserkrone durch Franz II. (ab da Franz I. von Österreich)

1806–1835	Kaiser Franz I.
1809	Österreichische Erhebung gegen Napoleon, Einzug Napoleons in Wien
1815	Wiener Kongreß der Siegermächte über Napoleon: Neuordnung Europas, Deutscher Bund, Oberitalien wird österreichisch
1815–1848	Zeitalter Metternichs (»Vormärz«), Restauration
1835–1848	Kaiser Ferdinand I., »der Gütige«
1848–1849	Bürgerlich-liberale und nationale Revolution in Deutschland, Österreich (Wien), Ungarn und Italien
1848	Erste Österreichische Verfassung
1848	Erste gesamtdeutsche Nationalversammlung in der Paulskirche in Frankfurt/Main
1848–1916	Kaiser Franz Joseph I.
1848–1867	Autoritäre Herrschaftsphase
1853	Russisch-österreichische Konfrontation in Südosteuropa
1859/60	Italienischer Einigungskrieg, Schlacht bei Solferino, Verlust Oberitaliens
1860	Oktoberdiplom
1861	Februarpatent
1864	Preußisch-österreichische Intervention in Schleswig-Holstein (»Elbherzogtümer«)
1866	Preußisch-österreichischer Krieg, Schlacht bei Königgrätz. Italienisch-österreichischer Krieg, Seeschlacht bei Lissa. Friede von Prag: Österreich verliert Machtstellung in Deutschland und Italien (Bismarcks Politik)
1867	Österreichisch-ungarischer Ausgleich: Umwandlung des Kaisertums Österreich in die k.u.k. österreichisch-ungarische Doppelmonarchie. Vereinigtes Königreich Italien
1867–1914	Liberale Herrschaftsphase
1870/71	Gründung des Deutschen Kaiserreichs unter Bismarck
1877–1878	Russisch-türkischer Krieg auf dem Balkan
1878	Berliner Kongreß: Versuch der Balkanordnung, Österreich besetzt Bosnien
1879	Österreichisch-deutscher »Zweibund«
1889	Tragödie in Mayerling
1897	Badenische Sprachverordnung in Böhmen (Gleichberechtigung von Deutsch und Tschechisch)

1907	Allgemeines und gleiches Wahlrecht in Österreich (nicht in Ungarn)
1908	Annexion Bosniens und der Herzegowina
1909	Konfrontation Rußlands mit dem Zweibund (»Nibelungentreue«)
1912–1913	Balkankriege, wachsender russischer Einfluß in Südosteuropa
1914	Attentat von Sarajevo, Ultimatum an Serbien
1914	Wechselseitige Kriegserklärungen der Mittelmächte (Österreich, Deutschland, Türkei) und der Triple-Allianz (Rußland, Frankreich und England)
1915	Londoner Protokoll: Auflösung der Donaumonarchie als Kriegsziel
1916	Tod Kaiser Franz Josephs.
1916–1918	Kaiser Karl I., Friedensbemühungen
1918	Auflösung der k.u.k. Institutionen. Bildung der Nachfolgestaaten. Abdankung Karls I.
1919	Verträge von St. Germain (mit Österreich) und Trianon (mit Ungarn)
1919	Habsburgergesetz in Österreich
1921	Vergeblicher Rückkehrversuch Karls nach Ungarn
1922	Verbannung und Tod Karls auf Madeira
1955	Fortführung des Habsburgergesetzes im Österreichischen Staatsvertrag
1961	Verzicht auf die persönlichen Thronrechte durch Karls Sohn Otto von Habsburg
1982	Kaiserin Zita besucht Wien
1989	Tod der Kaiserin Zita

Weiterführende Literatur

Andics, Hellmut: Die Frauen der Habsburger. Wien 1969.
ders.: Das Österreichische Jahrhundert: Die Donaumonarchie von 1804–1900. Wien 1976.
ders.: Der Untergang der Donaumonarchie. Wien 1981.
Crankshaw, Edward: Die Habsburger. Wien 1981.
ders.: Der Niedergang des Hauses Habsburg. Wien 1967.
Evans, Robert: Das Werden der Habsburger Monarchie. Wien 1989.
Frischauer, Paul: Die Habsburger. Geschichte einer Familie. Wien 1961.
Görlich, Ernst J.: Grundzüge der Geschichte der Habsburger Monarchie und Österreichs. Darmstadt 1970.
Hawlik-Van de Water, Magdalena: Die Kapuzinergruft. Wien 1987.
Hamann, Brigitte: Ein Herz und viele Kronen: Das Leben der Kaiserin Maria Theresia. Wien 1985.
dies.: Elisabeth: Kaiserin wider Willen. Wien 1986.
dies.: Rudolf: Kronprinz und Rebell. Wien 1987.
dies. (Hrsg.): Die Habsburger: Ein Biographisches Lexikon. Wien 1988.
Hueber, Lotte: Rudolf von Habsburg und seine Nachfolger 1273–1918. Lugano 1984.
Kann, Robert A.: Geschichte des Habsburgerreiches 1526–1918. Köln 1977.
Knappich, Wilhelm: Die Habsburger-Chronik. Salzburg 1969.
Lhotsky, Alphons: Das Zeitalter des Hauses Österreich. Wien 1971.
Reifenscheid, Richard: Die Habsburger in Lebensbildern. Graz 1982.
Stadtmüller, Georg: Geschichte der Habsburger Macht. Stuttgart 1966.
Wandruzka, Adam: Das Haus Habsburg: Die Geschichte einer europäischen Dynastie. München 1987.
ders. (Hrsg.): Die Habsburgermonarchie 1848–1918. Wien 1986.
ders.: Maria Theresia, die große Kaiserin. Göttingen 1980.
Zöllner, Erich: Österreich im Zeitalter des aufgeklärten Absolutismus. Wien 1983.

Stichwortregister

Verzeichnis der Grafiken und Tabellen

Stichwort

Information und Wissen in kompakter Form.
»Die Taschenbuch-Reihe gibt knappe, übersichtliche und aktuelle Auskünfte zu den jeweiligen Themen.«
WESTFÄLISCHE RUNDSCHAU

Angst
19/4062

Autismus
19/4019

Börse
19/4008

Bosnien
19/4048

Dalai Lama
19/4067

Drogen
19/4046

EU
19/4000

Frauen im Islam
19/4041

Geheimbünde
19/4004

GUS: Völker und Staaten
19/4002

Habsburger
19/4022

Intelligenz
19/4028

30. Januar 1933
19/4016

Judentum
19/4055

Das ehemalige Jugoslawien
19/4023

Konjunktur und Krise
19/4032

Neue Medien
19/4075

Nostradamus
19/4063

Öko-Management
19/4034

Ozonloch
19/4014

Palästinenser
19/4045

Psychotherapien
19/4006

Scientology
19/4068

Wilhelm Heyne Verlag
München